Aquele Verão

Aquele Verão

um romance de
Sarah Dessen

2ª impressão

Tradução de Áurea Akemi Arata

Título original: *That Summer*
© Sarah Dessen, 1996

Todos os direitos reservados, incluso o de reprodução total ou parcial sob qualquer forma. Esta edição foi publicada mediante acordo com a *Viking Children's Books*, um selo da *PenguimYoung Readers Group*, editora do *Penguim Group* (EUA) *Inc.*

Coordenação editorial – Lenice Bueno da Silva
Assistente editorial – Patrícia Capano Sanchez
Tradução – Áurea Akemi Arata
Diagramação – Cristina Uetake e Vitória Sousa
Revisão – Nair Hitomi Kayo
Edição de arte – Camila Fiorenza
Pré-impressão – Alexandre Petreca, Everton L. de Oliveira Silva, Hélio P. de Souza Filho e Marcio H. Kamoto
Impressão e acabamento – Corprint Gráfica e Editora Ltda.

Danny Romine Powell, "At Every Wedding Someone Stays Home" from At Every Wedding Someone Stays Home. Copyright © 1994 by Danny Romine Powell. Reprinted with the permission of the University of Arkansas Press, www.uapress.com

Dados Internacionais de Catalogação na Publicação (CIP)
(Câmara Brasileira do Livro, SP, Brasil)

Dessen, Sarah
   Aquele verão / um romance de Sarah Dessen ; tradução de Áurea Akemi Arata. -- São Paulo : Moderna, 2012.

Título original: That summer.

ISBN 978-85-16-08330-4

1. Ficção norte-americana I. Título.

12-12675   CDD-813

Índices para catálogo sistemático:
1. Ficção : Literatura norte-americana 813

Todos os direitos reservados no Brasil pela
Editora Moderna Ltda.
Rua Padre Adelino, 758, Belenzinho – 03303-904 – São Paulo/SP
Vendas e atendimento: Tel.: (11) 2790-1300
Fax: (11) 2790-1501
www.editoraid.com.br
Impresso no Brasil, 2013

Perfeitíssimo.

Empilhamos as coisas no Fusquinha, que tossia e cuspia enquanto Sumner tentava manobrar em nosso beco sem saída. O Fusca era velho, de cor azul desbotado, fazia um espocar característico que a gente conseguia discernir de qualquer lugar. Ele me acordava quando Sumner trazia Ashley tarde da noite ou quando passava na frente, apenas para ver a luz da janela dela. Sumner o chamava de sua música tema.

A viagem para a praia levava umas quatro horas, e claro que indo pela autoestrada em um conversível não se podia ouvir nada do que acontecia no assento da frente. Então, eu apenas me recostei e encarei o céu enquanto o sol se punha e escurecia. Assim que entramos nas estradinhas que dão para a costa da Virgínia, Sumner aumentou o som do rádio e não achou nada além de música de praia, então ficamos cantarolando juntos, criando nossas próprias letras quando não conhecíamos as de verdade. O motor crepitava, minha irmã ria, e as estrelas estavam tão brilhantes acima de nós, com as constelações girando. Foi perfeito, perfeitamente mágico, tudo de uma vez.

*A meus pais, pela sua fé e paciência,
e a Jay, por tudo o mais.*

Em todo casamento alguém fica em casa

Ela está sentada a manhã toda
ao lado da paisagem da janela,
espia fora, para o gramado,
que bem agora
sob um manto de gelo se esconde,
mesmo em junho. A garota veste
seu robe acolchoado, luvas,
chinelos forrados de pele. Ainda assim,
não consegue se aquecer. A mãe com calor
só de vê-la sai para
as compras, faz estardalhaço
ao retornar, dobrando as
sacolas de papel pardo que ela guarda
para forrar a gaiola do pássaro.
Agora a água corre na pia, e ela
descasca melão, cantando; arruma as
margaridas. Nós que a tudo vemos
queremos que a mãe se cale, cesse o ruído,
pare de cortar, que saia da
cozinha. Queremos que ela siga
até o corredor, até o armário,
onde ela guarda cobertas de lã.
Queremos que junte cinco ou seis,
as pesadas, as de listas,
as de xadrez escocês e as enfie
sob as pernas da filhas, deixando uma
para os pés e outra para seus ombros estreitos.

Agora queremos que faça um chá bem feito,
traga lenha sem vacilo
antes que a filha congele,
e vede todas as janelas,
evitando o direto e gélido repique dos sinos.

— Dannye Romine Powel

Capítulo Um

É engraçado como um verão pode mudar tudo. Deve ser devido ao calor e ao cheiro de cloro, à grama recém-cortada e à madressilva, ao asfalto fervendo após as tempestades no fim do dia, e ao vapor subindo enquanto tudo ao redor fica respingando. Deve ter relação com os dias longos e preguiçosos, com o ar chiando dos aparelhos de ar-condicionado e com as sandálias de dedo de plástico de cores vivas da farmácia espocando pela rua. Tem algo a ver com o outono estar tão próximo, outro ano, outro Natal e outro começo. Tanta coisa em um verão, agitando-se como as tempestades que coroam o fim de cada dia, soprando todo o calor e a terra e deixando tudo repleto de esperança e frescor. Todos conseguem relembrar um verão e apontá-lo, encontrando o ponto exato quando tudo mudou. Aquele verão era o meu.

No dia em que papai se casou novamente, mamãe estava em pé às seis horas da manhã, descongelando o freezer. Acordei com o ruído dela golpeando a massa branca e com a ocasional queda de uma camada enorme de gelo. Mamãe era uma "descongeladora" esquisita. Quando desci para a cozinha, ela estava postada diante do freezer aberto, brandindo o picador de gelo; Barry Manilow cantava para ela do toca-fitas que ela mantinha sobre a mesa da cozinha. Ao redor da voz de Barry, nossos perecíveis empilhados pingavam água, suando no calor de outra manhã de verão.

– Oi, bom dia, Haven. – Ela se virou ao me ver, enxugando a testa com o picador de gelo ainda na mão, fazendo meu coração saltar quando o imaginei escorregando apenas um pouco, atingindo o olho. Mesmo aos quinze anos, conhecia aquela sensação nervosa tão bem, aquela falta de controle evidente que mamãe incutiu em mim. Era como se eu estivesse grudada nela com um arreio, cada movimento dela me brandindo, minhas próprias mãos se alongando para protegê-la do perigo de agitar os braços.

– Bom dia. – Puxei uma cadeira e me sentei perto de uma pilha de frango embalado. – Você está bem?

– Eu? – Ela retornou à tarefa agora, raspando o gelo. – Estou bem. Está com fome?

– Na verdade não. – Encolhi as pernas no peito, pressionando bastante para ficar no menor tamanho possível. Parecia que todas as manhãs eu acordava mais alta; minha pele se esticava à noite enquanto eu dormia. Tinha sonhos de não conseguir passar pelas portas, de me tornar gigantesca, olhando para baixo para as pessoas e prédios como um monstro, provocando terror nas ruas. Cresci dez centímetros desde abril e não mostrava sinais de parar. Já tinha um metro e oitenta, com apenas poucos tracinhos na fita métrica a separarem do um metro e oitenta e cinco.

– Haven! – Mamãe olhou para mim. – Por favor, não se sente assim. Não faz bem e me deixa nervosa. – Ela ficou lá, me encarando até eu relaxar minhas pernas. – Assim é melhor. – Raspa, raspa o gelo. Barry continuava a cantar sobre a Nova Inglaterra.

Eu ainda não tinha certeza do que tinha me tirado da cama tão cedo em um sábado, além do barulho da minha mãe soltando icebergs de nossa *Frigidaire*. Não dormi bem, com meu vestido para o casamento pendurado no varão da cortina, flutuando sob a luz branca do poste do lado de fora da minha janela. Às duas, papai se casaria com Lorna Queen do *Cenário do Tempo de Lorna Queen*, no Canal 5 de notícias da WTSB. Ela era o que eles chamavam de meteorologista e o que mamãe chamava de Mulherzinha do Tempo, mas apenas quando ela se sentia vingativa. Lorna era loira e empertigada, usava terninhos lindos e curtos de cor pastel que mostravam apenas parte da perna, enquanto ela ficava em pé sorrindo diante de mapas coloridos, agitando o braço como se ela controlasse todos os elementos. Papai, Mac McPhail, era o âncora de esportes do Canal 5, e ele e a Mulherzinha do Tempo compartilhavam a mesa secundária de notícias, distante dos âncoras de rosto sério, Charlie Baker e Tess Phillips, que narravam as notícias de verdade. Antes de sabermos do caso de papai com a Mulherzinha do Tempo, sempre imaginava por que eles sorriam e o que falavam naqueles poucos minutos do programa enquanto rolavam os créditos. Charlie Baker e Tess Phillips remexiam papéis que pareciam importantes, agora reduzidos, após um dia duro dedicado à caça e emissão de notícias; mas papai e a Mulherzinha do Tempo estavam sempre ao lado, compartilhando alguma risada secreta que o resto de nós não captava. Quando finalmente entendemos, não foi nada engraçado.

Não que eu não gostasse de Lorna Queen. Ela era bem simpática para alguém que destruiu o casamento dos meus pais. Mamãe, com todo o senso de justiça, sempre culpou papai e limitou sua hostilidade ao apelido Mulherzinha do Tempo e ao ocasional sarcasmo sobre a massa crescente de cabelos de papai, que na época da separação desaparecia em grande velocidade e agora parecia ter revertido e se desenvolvia com a perseverança e rapidez de nosso gramado após alguns bons dias de chuva. Mamãe leu todos os livros sobre divórcio e se esforçava muito para deixar as coisas leves para mim e minha irmã, Ashley, que era puxa-saco de papai e deixava o aposento à menor menção sobre os cabelos dele. Mamãe mantinha suas explosões ao mínimo, mas eu podia dizer, pela forma com que ela estremecia quando mostravam papai e Lorna juntos na mesa lateral de notícias, que ainda doía. Antes do divórcio, mamãe fora boa em explosões, e eu imaginava que esta quietude, este controle, eram mais enervantes que qualquer colapso nervoso. Mamãe, como Ashley, sempre cultivou a veia dramática da família, iniciada por minha avó, que em encontros familiares importantes gostava de fingir incidentes horríveis se sentisse não estar recebendo atenção suficiente. Nenhuma reunião, casamento ou funeral estaria completo sem pelo menos um acesso, ataque cardíaco ou colapso geral de vovó, quando todos mudavam para a Modalidade Altamente Dramática, com todo o rebuliço e correria generalizada que costumavam gerar, o tipo de caos pelo qual minha família é conhecida.

Isso sempre me deixava meio nervosa. Não herdei aquele dom pelo palco que Ashley e mamãe compartilhavam, essa capacidade inata de perder o controle em momentos apropriados. Eu era mais como papai, estável e preocupado o tempo todo. Na época, nós reconhecíamos isso como ciência: mamãe e Ashley exagerando, vicejando na crise, papai e eu nos mantendo calmos, assentados, criando um equilíbrio com elas. Daí papai saiu, e como uma mesa sem um pé, as coisas começaram a ficar esquisitas desde então.

– E aí, você vai? – Era Ashley diante da entrada da porta da cozinha de camiseta e meias. Bastava olhar para ela para eu ficar seriamente consciente da minha altura, dos ângulos de meus cotovelos e dos ossos dos quadris e dos centímetros adicionais que cresci no mês passado. Aos vinte e um anos, minha irmã é miúda, com um metro e sessenta e dois de altura, um corpo curvilíneo e arredondado com o qual eu gostaria de ter nascido, pés pequenos, cabelos perfeitos, pequena o suficiente para ser graciosa, mas ainda uma força a ser encarada. Na minha idade, ela já fora escolhida a Mais Popular, tinha namorado (e se livrado do) capitão da equipe de futebol americano, além de ter sido líder de torcida da liga principal universitária. Ela era sempre o topo da pirâmide, pequena o suficiente para ser passada de mão em mão para cima, até ficar acima de todos os outros, um pouco trêmula, mas triunfante, antes de se deixar cair e virar a cabeça sobre os calcanhares, para ser capturada embaixo com um movimento de braços de alguém. Eu me lembro dela com o uniforme de líder de torcida, saia curta azul, blusão branco e sapatos de amarrar bicolores, agarrando a mochila e correndo até o carro cheio de adolescentes que chamavam com um apertão na buzina e esperavam lá fora, soltando gritinhos agudos até a escola. Na época, Ashley parecia ter a vida de uma Barbie: popular e perfeita, sempre com um namorado bonito e a turma legal. Tudo que ela precisava era a Casa dos Sonhos e um Corvette de plástico roxo para torná-la real.

Agora, minha irmã apenas franziu a testa, zangada, quando me pegou olhando para ela e depois coçou um pé com o outro. Ela já estava bem bronzeada e na parte interna do tornozelo esquerdo pude ver a tatuagem de borboleta amarela que ela fez dois anos antes, em Myrtle Beach, depois de beber após a formatura do ensino médio e alguém a desafiar. Ashley era selvagem, mas isso foi antes de ela ter ficado noiva.

— Não. Não acho que eu deva ir — respondeu mamãe. — Acho que é de mau gosto.

— Ir aonde? — perguntei.

— Ela convidou... — Ashley retrucou, bocejando. — Ela não faria isso se não quisesse você lá.

— Aonde? — perguntei de novo, mas claro que ninguém me ouvia. Houve outro estrondo de bloco de gelo caindo do freezer.

— Eu não vou — mamãe falou com convicção, colocando uma mão no quadril. — É delicado, e não vou fazer isso.

— Então não faça — Ashley terminou, entrando na cozinha e se inclinando sobre mim para pegar um pacote de *waffles* congelados da mesa.

— Fazer o quê? — repeti, mais alto desta vez, porque em nossa casa você tem que criar um tumulto até ser ouvida.

— Ir ao casamento do seu pai — mamãe respondeu. — Lorna me enviou um convite.

— Sério?

— Sério. — Isto cairia na categoria de Lorna, a Mulherzinha do Tempo, ser extremamente malvada ou apenas idiota. Ela fazia várias coisas que me faziam questionar isso, desde me dizer que tudo bem eu chamá-la de mãe depois do casamento com papai, a enviar uma foto emoldurada de um antigo cartão de Natal da família que ela encontrou junto com as porcarias de papai. Estávamos todos sentados à mesa da cozinha, encarando-a, enquanto mamãe a segurava numa das mãos com um olhar perplexo no rosto. Ela nunca disse uma palavra, mas acabou saindo lá fora e arrancou mato do jardim por quarenta e cinco minutos, torrão após torrão que voavam acima da cabeça dela, em um enorme acesso de fúria botânico. Eu acreditava que basicamente Lorna era mais malvada, beirando a idiotice. Mamãe se recusou a até mesmo emitir uma opinião, e como Ashley não suportava criticar nada em papai, disse que Lorna era apenas idiota e deixou o malvada de lado. Eu só sabia que nunca chamaria uma mulher apenas cinco anos mais velha que Ashley de mãe e que aquele cartão de Natal emoldurado era o que Ann Landers poderia chamar de Mau Gosto Total.

Assim, mamãe não foi conosco quando saímos para a igreja naquela tarde, com nossos vestidos de damas de honra brilhantes e cor-de-rosa combinando, para ver nosso pai se ligar em matrimônio sagrado com aquela provavelmente bastante idiota, mas possivelmente bem malvada Mulherzinha do Tempo. Senti pena de mamãe quando ela nos fez posar diante da lareira para tirar uma fotografia com sua Instamatic, exclamando sobre como nós estávamos lindas. Ela ficou diante da entrada, acenando atrás da tela da porta, enquanto saíamos para o carro, a máquina pendurada no pulso e, de repente, percebi por que Ashley queria que ela fosse, mesmo que fosse esquisito. De repente, havia uma tristeza em deixá-la para trás, tive vontade correr de volta e trazê-la comigo, de puxar aquele arreio apertado e de abraçá-la. Como sempre, não fiz nada em vez disso, entrei no carro ao lado de Ashley e observei mamãe acenando enquanto a gente se afastava da casa. Em todos os casamentos alguém fica em casa.

Ao sairmos do carro na igreja, vi o noivo de Ashley, Lewis Warsher, vindo na nossa direção do outro lado do estacionamento onde ele deixou seu pequeno Chevette azul. Ele ajustava a gravata enquanto caminhava, pois Lewis era muito arrumadinho. Ele sempre usava sapatos bem engraxados e gravatas estreitas em cor pastel. Quando Ashley o avistou, juro que ela encolheu uns cinco centímetros, há algo em Lewis que transforma minha irmã, que é dura como uma pedra, em uma beldade desfalecida e sem fôlego.

— Oi, querida! — E claro, eles se conectaram imediatamente, os braços dele passando em volta da cintura pequena dela, atraindo-a para mais perto para um dos longos e emotivos abraços, em que parecia que ele era a única coisa que a impedia de cair no chão. Ashley e Lewis passavam muito tempo se abraçando, apoiando-se um no outro fisicamente e sussurrando. Eles me davam nervoso, sempre com as cabeças juntas murmurando nos cantos dos aposentos, as vozes baixas demais para eu captar alguma coisa além de algumas vogais.

— Oi — sussurrou Ashley. Eles ainda se abraçavam. Fiquei lá, mexendo no meu vestido; não tinha escolha além de esperar. Ashley nem sempre foi assim; ela tinha namorados desde que eu me lembro por gente, mas nenhum deles a atingiu como Lewis. Durante anos, a gente associou os grandes eventos familiares ao namorado de Ashley na época. Durante o período Mitchell, eu pus aparelho, e vovó veio morar conosco. A era Robert incluiu minha mãe voltando para a escola noturna, e Ashley se envolvendo no acidente de carro que lhe quebrou a perna e provocou pontos que deixaram uma cicatriz em formato de coração no ombro direito. E foi durante a provação com Frank, de um ano, que todo o divórcio aconteceu, com os procedimentos da lei, terapia familiar e o advento de Lorna, a Mulherzinha do Tempo. Era uma linha do tempo de namorados: eu não conseguia me lembrar de datas, mas era capaz de alinhar cada acontecimento importante da minha vida com o rosto de um garoto cujo coração Ashley desapontou.

Mas isso tudo fora antes de Lewis, que Ashley conheceu no Yogurt Paradise no shopping onde os dois trabalhavam. Ashley era vendedora de cosméticos da Vive, ou seja, ela ficava atrás de um enorme balcão na loja de departamentos Dillard's, usando um avental branco e colocando maquiagem cara nos rostos de senhoras ricas. Ela se dava muita importância naquele avental e o usava praticamente por toda parte, como se ele significasse que ela fosse uma porcaria de médico, ou coisa parecida. Ela estava saindo de um rompimento complicado da era Frank e se consolava com um sundae de iogurte quando Lewis Warsher sentiu a dor e se sentou à mesa dela, pois parecia que ela precisava de um amigo. Estas são as palavras deles, que eu sei porque ouvi esta história toda por vezes demais desde que anunciaram o noivado há seis meses.

Mamãe disse que Ashley sentia falta de papai e que precisava de uma figura protetora; Lewis apareceu bem na hora certa. E Lewis a *protegia*, de ex-namorados, de atendentes de postos de gasolina e de insetos que ousassem cruzar o caminho dela. Ainda assim, às vezes, eu pensava o que realmente ela via nele. Não havia nada de espetacular em Lewis, e era um pouco inquietante ver minha irmã, a quem sempre admirei por ser corajosa e firme e por não levar desaforo de ninguém, encolhendo-se nos ombros dele sempre que se via diante de um problema.

– Oi, Haven! – Lewis se inclinou e beliscou minha bochecha, ainda abraçado a Ashley – Você está linda!

– Obrigada – respondi. Lewis estava de braço dado com Ashley, conduzindo-a na direção da igreja, comigo atrás. Embora estivéssemos usando o mesmo vestido deus-me-livre cor-de-rosa e fofo, parecíamos totalmente diferentes. Ashley era uma rosa pink, curta e curvilínea. Eu era um canudinho rosa e comprido, como algo que se mergulha em uma bebida borbulhante enorme. Era nesse tipo de coisa que eu sempre pensava desde que meu corpo me traiu e me transformou em uma gigante.

Quando estava no primeiro ano, tive uma professora chamada srta. Thomas. Ela era jovem, exibia um penteado hilário que a fazia parecer exatamente como a Branca de Neve, cheirava a perfume Lilly of the Valley e mantinha sobre a mesa a foto de um cara de uniforme, que espiava sério para fora da moldura. Embora eu fosse tímida e devagar com a matemática, ela não se importava. Ela me amava. Ela vinha a meu lado na fila do almoço ou durante a hora de histórias, passava a mão na minha cabeça e dizia: "Olha só, senhorita Haven, você é tão miudinha". Eu era compacta aos seis anos, capaz de me enfiar perfeitamente em locais pequenos que agora eram inacessíveis: sob a dobra de um braço, na palma de uma mão. Com um metro e oitenta e aumentando, eu não tinha mais a sensação de que alguém como a senhorita Thomas pudesse me envolver perfeitamente se o perigo batesse à porta. Eu era toda cotovelos ossudos e ângulos agudos, como uma peça de quebra-cabeça que só poderia ir no centro, esperando que as outras se encaixassem a ela, completando o todo.

    A igreja estava ficando cheia, o que não era de surpreender: papai é o tipo de pessoa que, de alguma forma, conhece todo mundo. Mac McPhail, locutor esportivo, bebedor de cerveja, contador de casos e de grandes mentiras, sendo que as últimas geralmente foram ditas à mamãe nos últimos poucos meses de casamento. Consigo me lembrar de estar sentada diante da televisão vendo papai no noticiário local todas as noites, observando os olhares enviesados maliciosos que ele e Lorna trocavam durante as chamadas para os intervalos comerciais, e ainda sem noção de que ele deixaria mamãe por aquela mulher mais conhecida pelas saias curtas e pelo modo de falar, fazendo beicinho, "perturbações climáticas na área superior". Ela não sabia metade daquilo. Não houve perturbação como aquela que arremeteu contra nossa casa no dia em que papai voltou do estúdio, fez mamãe se sentar à mesa da cozinha bem embaixo da grade de ventilação que leva para o piso abaixo do armário do meu banheiro e largou a bomba: ele estava muito apaixonado pela Mulherzinha do Tempo. Eu me sentei na lateral da banheira com a escova de dente na mão e desejei que a casa tivesse sido projetada de modo diferente para que eu fosse poupada daqueles momentos tão dolorosos. Mamãe ficou em silêncio por um bom tempo, a voz de papai era a única que flutuava através do piso, explicando como ele não conseguiu evitar aquilo, que não queria mais mentir, que tinha de deixar tudo claro, tudo isso com sua melhor voz de locutor esportivo, tão lépido em modular por notas melódicas e ênfases, tropeçando na simples verdade de que seu casamento já era. Finalmente, mamãe começou a chorar e então mandou que ele a deixasse em paz, uma voz firme que tornou o quarto, subitamente, mais frio. Duas semanas depois, ele se mudou para o condomínio da Mulherzinha do Tempo. Ele se encontrava comigo e com Ashley para almoçar todos os sábados e nos levava para a praia a cada quinzena, gastava dinheiro demais e tentava explicar tudo colocando o braço sobre meu ombro, apertando e suspirando alto.

Mas isso foi há um ano e meio, e eis o dia do casamento, o *primeiro* casamento que eu temia neste verão. Andamos até o saguão da igreja e imediatamente nos vimos envolvidas pelos braços enormes de tia Ree, que representava o grande volume do lado paterno da família, sendo que a maioria ainda estava magoada com o divórcio e ficou do lado de mamãe, ignorando a lealdade à família. Mas tia Ree era ampla o suficiente para representar todos com seu vestido havaiano esvoaçante rosa e um arranjo de flores do tamanho de um pequeno arbusto preso ao peito.

— Haven, venha cá e dê à sua tia Ree um pouco de carinho.
— Ela me apertou contra ela, e eu senti as flores espetando a minha pele. Ela agarrou Ashley com o outro braço, de algum modo

conseguiu afastá-la de Lewis, e nos abraçou bem apertado, como se estivesse nos consolidando em uma única pessoa. – E Ashley, você deve estar cansada de responder isso, mas quando é mesmo o seu grande dia?

– Dezenove de agosto – Lewis se apressou. Fiquei pensando se esta era a resposta que ele dava a quaisquer perguntas agora. Era o que eu costumava dizer.

Tia Ree me empurrou para trás, segurando-me pelos dois braços, e Ashley disparou de volta para Lewis.

– Nossa, você está crescendo que nem bambu, juro por Deus. Olhe só. Quanto você mede?

Sorri, combatendo a vontade de sumir dali.

– Muito.

– Não diga isso. – Ela apertou ainda mais o meu braço. – Altura e magreza não fazem mal nenhum, nunca. É o que dizem, não é?

– É dinheiro e magreza – Ashley observou. Deixe por conta da minha irmã baixa e curvilínea a correção até de um elogio com as palavras erradas.

– Seja lá o que for – tia Ree afirmou. – Você está linda mesmo. Mas estamos atrasadas, e a noiva está nervosa. Vamos buscar os seus buquês.

Ashley beijou Lewis e se agarrou nele mais alguns segundos antes de seguir tia Ree e eu através da massa de convidados perfumados do casamento até uma porta lateral que conduzia a um salão enorme, com prateleiras cobrindo todas as quatro paredes. Lorna Queen estava sentada a uma mesa no canto, diante de um espelho de maquiagem, com uma mulher que rodopiava ao redor, arrumando os cabelos dela com um pente comprido.

— Estamos aqui! — tia Ree falou com a voz cantada, apresentando-nos em toda nossa glória cor-de-rosa como se ela mesma nos tivesse criado. — Bem a tempo.

Lorna Queen *era* uma mulher bonita. Quando ela se virou no assento para nos olhar, percebi isso novamente, assim como sempre o fazia ao assisti-la nas previsões de tempo, com as saias curtas e o batom com a cor combinando. Ela era esperta e perfeita e tinha as menores orelhas que já vi. Ela as mantinha cobertas na maior parte do tempo, mas certa vez, na praia, eu a vi de cabelos puxados para trás, com aquelas orelhas como conchas moldadas na pele. Sempre imaginei se ela ouvia como o restante de nós, ou se o mundo soava diferente através daqueles receptores tão pequenos.

— Oi, garotas. — Ela sorriu para nós e deu uma pancadinha nos olhos com um Kleenex dobrado cuidadosamente. — Vocês estão lindas.

— Você está bem? — Ashley perguntou.

— Estou bem. É só que... — ela fungou delicadamente — estou tão feliz. Esperei tanto por este dia, e estou muito feliz.

A mulher da maquiagem revirou os olhos.

— Lorna, querida, o rímel à prova d'água não vai aguentar. Você precisa parar de chorar.

— Eu sei. — Ela fungou de novo, esticando-se para pegar a minha mão e a de Ashley. — Garotas, quero que vocês saibam que eu adoro o seu pai. Vou fazê-lo o mais feliz que puder e estou muito feliz que vamos virar uma família.

— Estamos muito felizes por você — Ashley respondeu, falando por nós duas, o que ela sempre fazia quando o assunto era Lorna.

Ela soltava lágrimas novamente quando um homem de terno entrou por outra porta e sussurrou: — Dez minutos. — Depois, rapidamente, fez sinal de positivo como se estivéssemos prestes a sair e jogar a Partida da Final.

— Dez minutos — Lorna repetiu, a mão soltando-se da minha e levando-a até o rosto, dando pancadinhas nos olhos. A maquiadora girou-a na cadeira e se movimentou com a esponja de pó de arroz. — Meu Deus, está mesmo acontecendo.

Ashley pegou a bolsa e tirou um batom.

— Faça assim — ela me disse, fazendo beicinho. Eu obedeci e ela colocou um pouco em mim, puxando nas laterais com o dedo. — Na verdade, não é sua cor, mas tudo bem.

Fiquei lá enquanto ela colocava um pouco de sombra e blush no meu rosto, o tempo todo olhando para mim com os olhos semicerrados, praticando a sua arte, o rosto dela bem perto do meu. Esta era a Ashley da qual eu me lembrava da minha infância, quando a diferença de cinco anos não parecia tão grande assim e nós montávamos nossos mundos de Barbie na entrada da garagem todos os dias após as aulas, meu Ken fraternizando com a Skipper dela. Esta era a Ashley que pintava minhas unhas na mesa da cozinha durante os longos verões, a porta de trás balançando com a brisa e o rádio ligado. Esta era a Ashley que entrou no meu quarto tarde da noite após romper com Robert Losard e que ficou na beirada da minha cama, chorando até que eu a envolvi desajeitada com meus braços e acariciei seus cabelos, tentando entender as palavras que ela dizia. Esta era a Ashley que tinha escalado o telhado comigo todas as noites nos primeiros meses do divórcio e me dizia como ela sentia falta de papai. Esta era a Ashley que eu adorava, longe das mãos agarradas com Lewis, do planejamento do casamento e do longo obstáculo de cinco anos que nenhuma de nós poderia cruzar.

— Pronto. — Ela fechou o batom e enfiou toda a maquiagem de volta na bolsa. — Agora não chore muito, e tudo ficará bem.

— Não vou chorar — respondi e, de repente, consciente de Lorna olhando para nós atrás de seu espelho, acrescentei: — Eu nunca choro em casamentos.

— Ah, eu choro — Lorna afirmou. — Há algo em um casamento, algo tão perfeito e tão triste ao mesmo tempo. Eu choro aos berros em casamentos.

— É melhor não chorar. — A maquiadora dava pancadinhas com a esponja do pó. — Se esta coisa não segurar, você vai ficar um horror.

A porta se abriu, e uma mulher com vestido do mesmo tom que o nosso, mas sem a saia longa esvoaçante, entrou, carregando uma caixa enorme com flores.

— Helen! — Lorna exclamou, lacrimejando de novo. — Você está linda!

Com certeza Helen era irmã de Lorna, bastava observar como ela também tinha orelhinhas minúsculas de concha. Achei que era mais que mera coincidência. Elas se abraçaram e Helen se virou na nossa direção, colocando as mãos juntas.

— Estas devem ser Ashley e Haven. Lorna disse que você era alta. — Ela se inclinou e beijou o meu rosto e depois o de Ashley. — Também soube que você merece parabéns. Quando é o grande dia?

— Dezenove de agosto — Ashley respondeu. Era a pergunta de um milhão de dólares.

— Nossa, já está aí! Está ficando nervosa?

— Na verdade não — Ashley respondeu. — Estou pronta para superar tudo.

— Amém! — Lorna falou, levantando-se e retirando o avental de papel que estava ao redor do pescoço. Ela respirou fundo, pondo a palma da mão firme no estômago.

— Juro que nunca fiquei tão nervosa, nem mesmo quando participei daquela maratona na estação durante o furacão. Pareço bem?

— Você está ótima — Helen falou. Todas concordamos com a cabeça. Apareceu uma mulher mais velha, fazendo gestos frenéticos. Os lábios se moviam como se longas palavras impronunciáveis fossem ditas, mas eu não consegui ouvir uma palavra do que ela dizia. Quando se aproximou, entendi algo que parecia com: "Está na hora, está na hora", mas ela gorjeava, então podia ser qualquer coisa.

— Tudo bem — a Mulherzinha do Tempo falou com um último suspiro. Ashley verificou meu rosto de novo, sugando os lábios e dizendo para eu fazer o mesmo. Com Lorna Queen atrás de nós, e a irmã Helen carregando a cauda, nos dirigimos até o saguão da igreja.

Tínhamos praticado tudo isso na noite anterior, quando eu estava de shorts e sandálias, e o corredor parecia estar a um salto, um pinote e um pulo do lugar onde o pastor estava, de jeans azul e uma camiseta que dizia Retiro Batista Livre e Limpo. Agora a igreja estava lotada, e a nave central parecia ter centenas de quilômetros com o pastor em pé ao fim dela, como uma pequena figura de plástico que você poderia enfiar em um bolo. Fomos empurradas na figuração, eu seguindo Ashley, claro, já que era mais alta, depois Helen e então Lorna, que nos dizia como nos amava tanto. Finalmente, a louca "sussurrenta" caminhou direto à frente da fila, acenou o braço que nem louca como se estivesse com bandeirolas apontando para o avião taxiar bem lá no meio da igreja, e nós nos pusemos a caminho.

Na noite anterior, eles disseram para eu contar até sete após Ashley sair, então eu fui até oito, pois estava nervosa e dei meu primeiro passo. Eu me senti como o homem da perna de pau no circo, que caminha como se o vento o soprasse para o lado. Tentei não olhar para nada além das costas de Ashley, que não eram nada interessantes, mas de alguma forma melhor que todos os rostos que me encaravam. Quando fui me aproximando do pastor, tive coragem de erguer o olhar e vi papai, em pé ao lado de seu padrinho, Rick Bickman, sorrindo.

Papai não apenas provoca uma impressão, mas uma boa impressão. Ele consegue fazer uma interpretação perfeita do *munchkin* que cumprimenta Dorothy imediatamente após ela aterrissar na bruxa em *O Mágico de Oz*, aquele que junto com outros dois canta aquela canção boba sobre ser da Liga do Pirulito. Eles balançam para a frente e para trás, e os rostos ficam bem contorcidos. Papai só fazia isso quando estava bêbado ou quando um grupo do que mamãe chama de amigos de semente ruim estavam por perto; mas de repente era nisso que eu conseguia pensar, como se em qualquer momento ele pudesse esquecer toda essa bobagem e começar a cantar essa música maldita.

Claro que isso não aconteceu, pois era um casamento e negócio sério. Em vez disso, papai piscou para mim quando tomei meu lugar ao lado de Ashley e todos nos viramos e encaramos a direção de onde viemos, esperando Lorna Queen entrar.

Houve uma pausa na música, longa o bastante para eu dar uma olhada rápida e ver se reconhecia alguém, o que não foi possível, pois tudo que pude ver era o lado de trás das cabeças de todo mundo enquanto aguardavam Lorna Queen aparecer. Charlie Baker, Importante Âncora do Noticiário Local, entrou com ela. Havia uma longa história no jornal desta manhã sobre o novo casamento do cara de esportes e da garota do tempo, que entrava em detalhes sobre o relacionamento de mentor entre

Charlie Baker e a estagiária que ele acolheu sob suas asas durante seus primeiros dias tumultuados no canal. Mamãe deixara o artigo na mesa da cozinha, sem comentários, e, enquanto eu passava os olhos, percebi que poderia bem ser sobre estranhos devido a toda a ligação que eu sentia com o segundo casamento de papai.

Lorna irradiava felicidade ao entrar na nave central. Os olhos brilhavam, e o rímel à prova d'água não estava se fixando como deveria, mas não importa, ela ainda estava linda. Quando ela e Charlie chegaram ao altar, ela se inclinou e beijou Helen, depois Ashley e depois eu, o véu dela arranhando meu rosto ao roçar em mim. Foi a primeira vez que eu vi o âncora Charlie Baker de perto, e eu apostaria dinheiro que ele tinha feito plástica no rosto em algum ponto de seus longos anos diante da câmera. Ele tinha aquela aparência de pele meio brilhante.

O pastor limpou a garganta, Charlie Baker entregou Lorna a meu pai e agora, finalmente, estava acontecendo. Uma mulher na fila da frente, com um chapéu roxo, começou a chorar imediatamente, e quando o pastor chegou aos juramentos, Helen também lacrimejava. Eu estava entediada e ficava olhando ao redor da igreja, pensando no que mamãe acharia disso tudo, uma igreja da moda e uma longa caminhada pela nave central, pompa e circunstância. Meus pais se casaram no Salão de Festas do Hotel Dominic, em Atlantic City, com apenas a mãe dela e os pais dele presentes, junto com alguns festeiros perdidos que apareceram de um Bar Mitzvah a umas poucas portas abaixo. Era algo simples, bem o que eles precisavam, já que o pai de mamãe era contra o casamento e se recusou a comparecer, e a família de papai não conseguia arcar com muito mais que o Salão de Festas por algumas horas, um bolo e um primo tocando piano; papai pagou pelo juiz de paz. Há fotografias deles todos ao redor de uma mesa, mamãe, papai, minha avó e os pais de papai, mais um cara de cabelos brancos com óculos à Buddy Holly, cada um com um prato de bolo semicomido diante deles. Foi assim a festa de casamento.

Observei papai, pensando nisso enquanto ele dizia os juramentos, conversando em tom baixo no véu de Lorna com o rosto muito vermelho e sério. Minha irmã começou a chorar, e eu sabia que não era pela felicidade dos casamentos, mas pela finalidade de tudo isso, sabendo que as coisas nunca voltariam a ser como antes. Pensei na mamãe em casa no jardim, arrancando mato sob o sol quente da tarde, longe do dobrar dos sinos da igreja. E pensei em outros verões, muito antes de papai erguer este véu e beijar a sua nova noiva.

Capítulo Dois

De todos os namorados de Ashley, havia apenas uns poucos dos quais eu me lembro devido a datas e acontecimentos que eles representam. Lewis, claro, que estaria no fim dessa fila no próximo dezenove de agosto. Robert Parker, que após dois meses de rompimento com Ashley, no meu oitavo ano, morreu em um acidente de motocicleta. Mas de todos eles, apenas Sumner realmente era importante para mim.

  Ashley conheceu Sumner Lee no começo do primeiro ano do ensino médio, antes de eu completar dez anos. Ele não era alguém que ela tivesse trazido em casa antes: Ashley curtia carinhas bem fortes, na maioria atletas: lutadores, jogadores de futebol, de vez em quando um tenista, mas isso era raro. Esses carinhas com seus pescoços grossos e pernas musculosas andavam diante da casa com minha irmã nos braços, como um troféu. Eles eram educados com meus pais, pouco à vontade comigo, e bebiam todo nosso leite quando apareciam depois das aulas. Eles ficaram juntos em um borrão, esses caras, os nomes de três letras: Bif, Tad, Mel. Papai gostava deles porque eles estavam em seu campo, tendo esportes como assunto comum. Mamãe olhava o suprimento de leite sempre diminuindo, mas não dizia nada. Todos víamos isso como sendo a norma, pelo menos até ela trazer Sumner para casa.

Foi logo após o desagradável rompimento com Tom Acker, zagueiro do Lincoln High Rebels. Ele era magro e rápido e mascava tabaco apenas quando Ashley permitia. Depois do rompimento, ele ficava à espreita por perto da vizinhança após a escola, com a bola de futebol enfiada sob o braço, como a cabeça de Ana Bolena[1], caçando.

Mas Sumner não era atleta. Ele era magro e suave, com cabelos crespos pretos e olhos azuis brilhantes que pareciam quase irreais. Tinha sotaque do Alabama, alongado e indolente, e usava roupas desbotadas e tênis Converse surrados, de cano longo, que chiavam quando ele andava. Sumner era o tipo de pessoa com quem você quer se sentar ao sol e passar o dia. Era interessante e hilário, parecia que se a gente ficasse grudado nele o dia todo nunca se aborreceria, pois ele nunca era chato. Mamãe dizia que Sumner era o tipo de pessoa para quem as coisas simplesmente aconteciam, e ela estava certa. Coisas estranhas, surpreendentes e incríveis. Ele levava uma vida encantada, sempre tropeçando em algo interessante, totalmente ao acaso.

---

[1] Ana Bolena foi a segunda esposa do rei Henrique VII, da Inglaterra, no ano de 1533. Ela foi decapitada, acusada de alta traição e incesto. (N.E.)

Certa vez, depois que ele e Ashley começaram a namorar, ele nos levou ao shopping porque tinha que comprar um molde para sapatos para o pai, de aniversário. Estávamos andando à procura de um, quando nos deparamos com uma equipe filmando um daqueles comerciais de teste de sabor bem na frente do Cheeseables, a loja gourmet de queijos onde eles também vendem café caro e chique. Estavam com um cara que experimentava um pedaço de queijo, e eles tentavam fazê-lo dizer algo brilhante para filmarem o comercial, mas ele pigarreava, hesitava e ficava muito tempo encarando a câmera.

— Então, você gostou do queijo? — uma mulher segurando uma prancheta perguntou para ele, dando uma dica. — Você diria que é o melhor queijo que já provou?

— Bem, é bom — o carinha falou bem vagarosamente —, mas já comi melhores quando estava fora.

— Mas ainda assim é bom, não é? — a mulher insistiu enquanto o operador da câmera revirava os olhos. — Talvez o melhor que você comeu nos últimos tempos?

— É bom — o cara falou. — Na verdade, gostei, mas não diria...

— Fala, pô — o cara da câmera grunhiu com a voz grossa. — Fala aí que é o melhor queijo que você já comeu.

O homem mastigou o queijo um pouco mais, com toda a calma. A mulher com a prancheta olhou ao redor em busca de outros participantes possíveis e, de repente, Sumner fala com sua voz alta e alegre: "Este é o *melhor queijo* que já comi!". Então ele apenas sorriu aquele sorriso de quem ama queijo enquanto os passantes olhavam para ele. Ashley ficou toda vermelha e o socou no estômago por dizer aquilo. Era isso que pegava em Ashley; ela adorava a loucura de Sumner, mas, no fim, ela ficava constrangida.

A mulher com a prancheta veio até nós e olhou para Sumner.
— Você pode repetir isso?
— Este é o *melhor queijo* que já comi! — ele falou com a mesma voz, modulando, e para dar mais efeito ele acrescentou: — Juro!

A mulher se virou e fez um gesto para o cara da câmera. Ele tratou de expulsar o primeiro cara do queijo e colocou um prato fresquinho para Sumner, que riu para nós enquanto era levado para trás do balcão de faz de conta, se postando no lugar diante da câmera.

— Não acredito nisso — Ashley falou para mim.

O cara da câmera falou com Sumner, que concordava e de vez em quando soltava: "Este é o *melhor queijo* que já comi!", como se alguém ainda não estivesse certo disso. Eles o colocaram com o queijo, que no início ele pegou de modo hesitante, saboreou com um olhar inquisitivo e depois deixou um sorriso enorme aparecer aos poucos no rosto antes de dizer, como se aquilo tivesse saltado à cabeça naquele instante, com entonação clara e ênfase em todas as palavras corretas: "ESTE é o MELHOR QUEIJO que JÁ comi!".

A mulher da prancheta sorriu, o cara da câmera apertou a mão de Sumner, e todos aplaudiram, exceto Ashley, que apenas ficou balançando a cabeça. Sumner pegou um punhado de amostras grátis de queijo, deu-lhes o nome e telefone e assinou um autógrafo para um garotinho que assistia a tudo.

Saímos, compramos o molde para sapatos e não pensamos muito sobre isso. A única coisa foi que Sumner transformou isso em sua frase de assinatura, e sempre que lhe dava na cabeça, ele a emitia, houvesse ou não queijo nas proximidades. Então, certa noite, estávamos todos assistindo a *Jeopardy!*[2] e logo após termos resolvido a categoria de aves aquáticas, quem aparece na tela? Ninguém menos do que Sumner, com o queijo, seu enorme sorriso e, claro, a frase que, naquele ponto, era conhecida de toda a família e de alguns vizinhos que ligaram para nós, para se certificarem de que tínhamos visto o comercial. De repente, Sumner era o famoso cara do queijo da Cheeseables. Sua frase de efeito tornou-se muito legal, e eles o fizeram voltar ao shopping no Cheeseables para assinar autógrafos e posar para uma fotografia. Havia até conversa de uma campanha nacional, que nunca aconteceu, mas que ainda era bastante emocionante. Não era que Sumner procurasse aventura de propósito, mas ele tropeçava nelas. Para Ashley, eu e toda a minha família, era divertido só estar ao lado, curtindo.

A melhor época com Sumner foi no verão após o quinto ano, quando nós todos fomos até Virginia Beach passar uma semana inteira enquanto papai cobria um importante torneio de golfe. Mamãe deixou Sumner levar Ashley e eu para lá em seu velho Fusca conversível, já que ele precisava ir mais tarde, pois estava trabalhando no verão, vendendo sapatos no shopping. Na verdade, eram sapatos para senhoras, aquele tipo com solado grosso e flexível em cores neutras e com cadarços superduros que não rompiam sob esforço. No verão anterior, ele vendeu coberturas de alumínio, por telefone, sentado atrás do balcão o dia inteiro, convencendo as pessoas a fazer melhorias nas casas, sem ver a cara do outro. Ele disse que gostava de experimentar serviços diferentes a cada verão, apenas para ver o que rolava. Na loja de sapatos para senhoras, que se chamava formalmente

---

[2] *Jeopardy!* é um programa de perguntas e respostas atualmente exibido pela CBS, emissora de TV norte-americana. (N.E.)

Advantage Shoe Wear, ele já tinha ganhado o título de vendedor do mês. A única coisa ruim era que ele tinha que usar gravata para trabalhar, problema que ele resolveu visitando brechós nos fins de semana com Ashley, escolhendo as mais largas, as mais vivas e as mais pregueadas que ele conseguia encontrar, de preferência com prendedor.

Eu me lembro da gravata que Sumner usava naquela tarde tão claramente quanto me lembro de tudo a respeito daquela única semana na praia naquele verão, quando as coisas ainda estavam bem na minha família. A gravata era amarela, com desenhos verdes enormes que de longe pareciam brócolis, mas que de perto eram apenas manchas que não lembravam nada. Ele apareceu no Fusca ainda com as roupas de trabalho, com aquela gravata voando e fustigando os ombros. Ashley e eu estávamos sentadas na calçada com todas nossas coisas na grama, mascando chiclete e esperando por ele. Minha irmã se inclinou sobre o banco ao entrar e o beijou, erguendo a mão disfarçadamente para desabotoar a gravata enquanto isso.

Normalmente, Ashley não suportava que eu saísse com ela e o namorado, mas com Sumner até ela ficava diferente. Ele a fazia relaxar, rir e gostar de coisas de que ela normalmente não gostava – como ficar comigo. Quando ele estava por perto, ela era legal comigo, muito legal, e isso fechou aquele buraco de cinco anos que se abria cada vez mais desde que ela entrou no ensino médio, parou de olhar para mim e começou a bater as portas na minha cara sempre que eu chegava perto dela. É estranho, mas nos poucos anos seguintes, quando as coisas pioraram entre nós, eu sempre relembrava daquele dia, quando esperamos Sumner no gramado, como uma época em que as coisas estavam bem.

Empilhamos as coisas no Fusquinha, que tossia e cuspia enquanto Sumner tentava manobrar em nosso beco sem saída. O Fusca era velho, de cor azul desbotado, fazia um espocar característico que a gente conseguia discernir em qualquer lugar. Ele me acordava quando Sumner trazia Ashley tarde da noite ou quando passava na frente, apenas para ver a luz da janela dela. Sumner o chamava de sua música tema.

A viagem para a praia levava umas quatro horas, e claro que indo pela autoestrada em um conversível não se podia ouvir nada do que acontecia no assento da frente. Então, eu apenas me recostei e encarei o céu enquanto o sol se punha e escurecia. Assim que entramos nas estradinhas que dão para a costa da Virgínia, Sumner aumentou o som do rádio e não achou nada além de música de praia, então ficamos cantarolando juntos, criando nossas próprias letras quando não conhecíamos as de verdade. O motor crepitava, minha irmã ria, e as estrelas estavam tão brilhantes acima de nós, com as constelações girando. Foi perfeito, perfeitamente mágico, tudo de uma vez.

Ashley e eu ficamos em um quarto, meus pais no outro e Sumner ficou no sofá da sala de visitas que mamãe arrumava para ele todas as noites. O sofá ficava recostado na mesma parede em que a cama de Ashley estava, e eles ficavam batendo na parede a noite inteira, pois Sumner estava certo de que eles poderiam criar um código e se comunicar, embora Ashley gastasse a maior parte do tempo apenas batendo qualquer coisa, depois abria a porta e sussurrava "o quê?" Sumner lhe dizia que só tinha batido, e os dois riam alto e começavam tudo de novo. Ashley nunca rira antes como fazia com Sumner, ela sempre ficava, tipo, fazendo beicinho e quieta, sempre com dor de estômago ou alguma doença real ou imaginária. Mas Sumner a deixava feliz e acesa o tempo todo: os cabelos compridos, os pés descalços e um namorado que dirigia um conversível. Ela se tornou calorosa e simpática, como o próprio verão.

Quando me recordo dessa semana em Virginia Beach, consigo me lembrar de cada detalhe: do maiô que usei a cada dia, até o aroma dos lençóis limpos do hotel sobre minha cama. Me lembro do rosto de mamãe com sardas e do modo como papai tão facilmente enlaçava a cintura dela e a puxava para perto, beijando-lhe a nuca quando ele passava por ela. Eu me recordo do camarão ao bafo, das noites frias com agasalhos e da batida das ondas à distância me ninando para dormir. Me lembro das caminhadas que fazíamos todas as noites quando estávamos lá, de jogar um frisbee barato que papai comprou em um posto de gasolina no caminho e de todos correndo atrás dele na areia, no escuro, esperando o luar bater nele enquanto o brinquedo navegava pelo ar. Eu me recordo daquela semana de uma forma que nunca consegui me lembrar de mais nada.

Depois que acabou, voltei para casa com nossos pais, Ashley e Sumner ficaram para um último dia na praia. Havia areia nos sapatos quando cheguei em casa, e meu protetor solar tinha vazado inteirinho na minha mala, carregando os aromas e a sensação daquela semana o tempo todo em meu quarto litorâneo. Apenas o som do cortador de grama do senhor Havelock à distância me fez lembrar de que tudo acabara realmente, e que eu estava em casa. Era um mundo diferente, e fiquei sentada no silêncio do meu quarto naquela noite, desejando estar de volta à areia, com o céu e o oceano tão próximos, perdida no meio de tudo aquilo.

Na recepção, todos bebiam, e a banda tocava; levou um tempão até eu finalmente localizar papai em meio à confusão. Ele estava cercado por uma multidão, como sempre, o rosto vermelho-beterraba, com uma bebida na mão. Esperei até que ele me visse e fizesse uma farra enorme colocando o braço em minha volta, sempre consciente do fato de que agora eu estava ficando mais alta que ele, um pouquinho só. É constrangedor olhar para baixo para seu pai, a única pessoa que você pode se lembrar de ser maior que o resto do mundo.

– Haven! – Ele beijou meu rosto. – Você está bem servida? Já comeu?

– Ainda não – respondi. Outro grupo de pessoas desejando felicidades passou, praticamente gritando os cumprimentos. Era sempre um desafio competir pela atenção de papai, em público.

– Estou muito feliz por você, papai. – Parecia ser a coisa certa a dizer.

– Obrigada, amor. – Ele enlaçou a minha cintura com o braço, o mesmo gesto simples que eu associava com mamãe. – Ela é especial, não é?

Claro que ele olhava para Lorna no salão, cercada pelo seu próprio grupo de pessoas, todas admirando o anel, rindo e olhando para papai; e eu olhando para eles. Lorna estava sentada em uma cadeira com uma taça na mão, abanava-se com um pedaço de papel. A recepção era ao ar livre, sob uma tenda enorme na casa de Charlie Barker, e estava muito quente. Lorna Queen sorriu para mim, agitando os dedos, e lançou um beijo para papai, que devo confessar constrangida, ele fingiu pegar no ar.

– Ela é muito simpática – falei, acenando de volta para ela.

– É realmente importante para mim que vocês, garotas, fiquem bem com isso – papai respondeu. – Sei que os últimos anos foram difíceis, mas as coisas vão ficar mais fáceis daqui para frente. Sei que sua mãe também vai querer isso.

Senti o estômago encolher. Não queria pensar nela agora, neste lugar com as mesas recobertas de branco, os garçons de smoking e a nova vida de papai. Parecia terrivelmente inadequado, se não blasfêmia, de algum modo. Estava tentando pensar em outra coisa, quando Ashley e Lewis apareceram por trás de nós.

– Papai, estou tão feliz – Ashley falou, desvencilhando-se de Lewis por tempo suficiente para lançar os braços em volta de papai. Os olhos dela ainda estavam vermelhos e inchados, papai não sabia que, após a cerimônia, ela e Lewis dirigiram ao redor do quarteirão algumas vezes para que ela se recuperasse antes de ir à recepção. Fui andando com tia Ree até a casa de Charlie Baker e os vi passando várias vezes, sempre com Ashley enxugando os olhos e Lewis com a expressão mais preocupada. Agora ela apenas abraçou papai, e Lewis ficou encarando o outro lado do salão, segurando-lhe a bolsa. Ashley era muito reservada em algumas coisas.

– Obrigada, querida. – Papai a beijou na testa, depois estendeu o braço para cumprimentar Lewis. – Não falta muito para sua vez, hein, Lewis? Apenas um mês, mais ou menos, né?

– Vinte e nove dias – respondeu Lewis, sempre exato.

– Bem, vou ficar feliz em tê-lo na família – afirmou papai com sua língua molenga de quem tinha bebido, como se nós como família ainda fôssemos uma unidade sem mácula, sem rachaduras nem vícios, o mais recente dos quais vinha pelo salão em um borrão branco, atirando os braços em volta de seu pescoço enquanto o resto de nós observava. Mesmo Ashley, que há muito era a única que tinha estômago para o novo romance de papai, pareceu um pouco desconfortável.

Passei o tempo todo na recepção ouvindo comentários sobre como eu era alta, todos tentando fazer parecer que era uma boa coisa ser gigante aos quinze anos. Eu era mais alta que todo mundo, parecia, e Ashley aparecia atrás de mim e me cutucava firme bem no meio das costas, que era o sinal sutil e constante de mamãe de que eu estava me curvando. O que eu realmente gostaria de fazer era me enrolar como uma bola sob a mesa do bufê e me esconder de todos. Após quatro horas, vários pratos de comida, e papos que fizeram eu me recolher no meu íntimo para sempre, finalmente chegamos em casa.

Ashley bebeu vinho demais, e Lewis nos conduziu até nossa casa, deixando o carro dela no estacionamento para ser buscado no dia seguinte. Ela falava bem alto e começou a ficar toda beijoqueira enquanto eu estava sentada no banco de trás pensando em como o verão passava tão rápido. Em pouco mais de um mês eu voltaria para a escola com cadernos e lápis novos, e Ashley teria saído de casa e do quarto que ocupava ao lado do meu desde que eu me lembro por gente. Ela e Lewis se mudariam para os apartamentos Rock Ridge, perto do viaduto, para um lugar de dois quartos, com carpete rosa-pêssego, claraboia e acesso ilimitado a uma piscina que ficava a passos da porta de entrada. Ela já tinha etiquetas de endereço, que aguardavam sobre a sua mesa, prontas para serem usadas: Ashley Warsher, 5-A Rock Ridge Apartments, com uma pequena rosa próxima ao nome dela. Ela estava pronta para se tornar outra pessoa. Ela tiraria o seu drama, tatuagem e as lendas dos namorados para um lar novo, e nós ficaríamos para lembrarmos o que pudéssemos ao passar pelo quarto vazio.

Quando chegamos em casa, mamãe estava fora, no jardim. Já escurecia, e pude vê-la arqueada sobre as roseiras com a tesoura de poda na mão. Antes de papai nos deixar, tínhamos um quintal com uma subdivisão descuidada, com beiradas retas, e nosso capim se distribuía em locais não desejados. Mamãe tinha alguns gerânios perto da porta dos fundos que lutavam para florescer todos os anos e não conseguiam, talvez um pouquinho de vermelho e rosa no início da estação antes de desistirem por completo. Após a separação, no entanto, mamãe era outra mulher. Não foi apenas o grupo de apoio ao qual ela se unira, ou seu novo interesse em Barry Manilow, dois hábitos introduzidos por Lydia Catrell, nossa vizinha divorciada que se mudou para a casa ao lado pouco depois daquele dia de outono em que papai saiu de casa. Nem dois fins de semana depois, mamãe estava no quintal com um Rototiller alugado e uma pilha de livros sobre jardinagem, rasgando o solo com toda energia e desespero que ela controlou tão bem nas semanas após termos descoberto sobre a Mulherzinha do Tempo. Ela comprou sementes, fez incursões por estufas de plantas, cobriu a área com folhas, fez compostagem e gastou dias inteiros com as mãos repletas de terra, induzindo vida na grama seca e sem graça que papai passou anos a cortar. Por toda a casa havia pacotes de sementes e Xerox de fotos de plantas perenes e bianuais e alpinas e anuais e rosas de todas as cores que se possa imaginar. Eu adorava os nomes. Eram como códigos secretos ou locais mágicos: coreópsis, crisântemos e stachys. No próximo verão, mamãe teria o mais lindo jardim do quarteirão, muito melhor que os terrenos planejados e medidos uniformemente de nossos vizinhos. O dela se espalhava todinho pelo quintal inteiro, escalava muros e o gramado, resplandecendo em cores que eram suaves, vivas, chocantes e discretas, tudo ao mesmo tempo. Sempre havia um enorme e exuberante buquê sobre nossa mesa da cozinha, e o aroma de flores frescas enchia a casa da mesma forma que aquele peso desde outubro. Eu adorava vê-la lá fora, com os cabelos presos, o mundo florescendo ao redor dela, as cores tão vivas e constantes e tudo criado por suas próprias mãos.

— Então, como foi? — Ela sorriu para mim enquanto eu andava com o buquê de dama de honra pendurado na mão. Segurei-o direito ao me aproximar, e ela o examinou. — É lindo! Sabe como se chama? *Polemonium caeruleum*. Acho que nunca vi sendo usado em buquês antes. Talvez eu deva experimentar algumas no ano que vem. — Ela se curvou e puxou um mato até ele ceder, saindo com vestígios de terra ao redor.

— Foi ótimo — respondi, pensando em que palavras eu deveria usar para descrever aquele evento, os detalhes que eu deveria cobrir. — A comida era boa.

— É sempre assim nos casamentos. — Ela se esticou e catou algumas folhinhas brilhantes, esfregando-as na mão. — O que você acha disto?

Peguei-as da mão dela e levei ao nariz quando ela fez um gesto me incentivando. O aroma era adocicado e de limão, como as pastilhas de tosse que minha avó sempre me dava em vez de doce.

— O que é?

— Melissa. — Ela pegou algumas para ela, pressionando-as perto do nariz. — Adoro esse cheiro.

Pude ouvir Ashley rindo na varanda da entrada, onde ela estava sentada nos degraus, recostada em Lewis.

— Ashley está bêbada — contei para mamãe, que apenas sorriu aquele sorriso triste novamente e arrancou outro mato. — Ela tomou um milhão de taças de vinho.

— Ah, bem... — Ela jogou o mato do lado e esfregou as mãos, limpando-as. — Cada um tem o seu modo de superar problemas.

Eu poderia dizer lá mesmo todo o tipo de coisas marcantes que eu sentia e que deveria dizer para mamãe: palavras de apoio, solidariedade e consolo. Mesmo com essa oportunidade apresentada tão claramente, não fiz nada além de segui-la pelo caminho de pedra, passando pelas roseiras, canteiros de flores e local de alimentos para pássaros pelos degraus dos fundos até a cozinha. Ela foi até a pia, lavou as mãos e, sob a luz clara e repentina, olhei para o seu jeans gasto e camisa florida e pensei em como ela se parecia com Ashley: os longos cabelos escuros puxados para trás e os pés miúdos que deixavam rastros de lama do jardim pelo chão. Eles eram tão pequenos e precisos. Pensei no que ela tinha feito naquela tarde, observei mamãe na pia e não disse as coisas certas, apenas pressionei aquelas folhas minúsculas perto do rosto e respirei seu aroma forte e adocicado.

Capítulo Três

Acordei no dia seguinte com uma crise de casamento. Em julho pude sentir uma a quilômetros de distância, mas não tive de ir tão longe graças ao buraco de ventilação do meu banheiro e ao fato de que todos os confrontos familiares principais pareciam ocorrer na nossa cozinha, logo abaixo. Estava deitada na cama às oito horas, já acordada, mas olhando para o teto quando ouvi nossa vizinha Lydia Catrell bater na porta e entrar com uma onda de conversa em alta frequência, combinada com a voz mais baixa e grave de mamãe enquanto as duas estavam à mesa, bebendo café e remexendo as xícaras com as colherinhas. Ouvi enquanto elas conversavam sobre os convites e a lista de convidados: Lydia Catrell tinha casado quatro filhas e era nossa conselheira-mor sobre o casamento de Ashley. Foi Lydia que arrumou o salão, a igreja, e recomendou as flores. E era ela que se movimentava na cozinha agindo como se fosse importante e dispensando conselhos, a maioria dos quais bem-vindos. Assim, naquela manhã, eu soube até antes de Ashley que ela ainda teria mais problemas com a dama de honra problemática.

O nome da dama de honra era Carol Cliffordson, ela tinha vinte e um anos e era uma prima distante que passou um verão conosco quando os pais dela estavam se separando. Ela e Ashley se juntaram, riram e deixaram os outros loucos; tornaram-se melhores amigas aos doze anos. Eram inseparáveis. No fim do verão, Carol retornou a Akron, Ohio, e nunca mais ouvimos muito dela a não ser por cartões de Natal e anúncios de formaturas. Quando Ashley escolheu as damas de honra, fez questão de incluir Carol, embora não a víssemos desde que ela tinha doze anos, mesmo então apenas por um verão. Ela aceitou e então começou a provocar mais problemas que jamais seria possível imaginar que uma pequena dama de honra fosse capaz. Começou com os vestidos, que Carol vetou por serem muito decotados na frente. Como não tinha muito peito (embora jamais admitisse), ela ligou para Ashley para dizer que eles eram muito decotados e se ela podia, por favor, vestir outra coisa. Lydia Catrell, minha mãe e Ashley sentaram-se por horas, discutindo sobre aquele telefonema de um minuto, dissecando suas questões em relação à etiqueta, até Carol ligar novamente para dizer que achava que não conseguiria estar presente ao casamento, pois a família de seu noivo estaria na cidade naquele fim de semana e esperava que ela tomasse parte do jantar de família e da dança de quadrilha. Com isso, parecia que poderíamos nos livrar dela, só que os vestidos (ainda decotados, mas com outro modelo) já tinham sido encomendados e era tarde demais para encontrar outra pessoa. Isso disparou outra rodada de discussões e consolos entre mamãe e Ashley, sem mencionar Lydia Catrell, que manifestou em alto e bom som, várias vezes, que aquela garota tinha sido criada em um estábulo. Finalmente decidiu-se que Carol ainda assistiria ao casamento com o noivo, depois sairia imediatamente a tempo da quadrilha.

Agora havia outro problema. Parece que Carol ligou cedo, histérica, chorando ao telefone que o noivo decidiu não vir para não negligenciar a própria família em prol de um casamento de alguém que ele sequer conhecia. Eles tiveram uma briga enorme, e Carol ligou chorando para mamãe, que a consolou solidária e disse que faria Ashley ligar imediatamente. Então Lydia apareceu, ficou ciente, e eu fiquei na cama ouvindo-as discutir e discutir sobre o assunto, agitadas sobre o que Ashley faria quando estivesse a par da situação. Ouvi Ashley descendo a escada e então, de repente, as vozes cessaram.

— O quê? — Ouvi Ashley dizer após alguns minutos silenciosos e pesados. — O que está acontecendo?

— Querida — mamãe falou com a voz suave —, talvez você devesse comer sua torrada primeiro.

— Verdade — Lydia concordou —, talvez seja melhor comer primeiro.

Claro que Ashley ficou desconfiada. O timer da torradeira tocou, mas eu não a ouvi abrir, apenas houve o ruído de uma cadeira sendo arrastada da mesa.

— Pode me contar.

— Bem... — mamãe começou. — Recebi uma ligação de Carol esta manhã.

— Carol! — Ashley repetiu.

— Sim — Lydia confirmou.

— Ela estava muito chateada, pois ela e o noivo estão brigando, e ela disse — uma pausa aqui, enquanto mamãe se preparava para soltar a bomba — que não vai conseguir vir ao casamento.

Houve outro silêncio. Tudo que pude ouvir foi o som de alguém mexendo uma colher, batendo na lateral de uma caneca. Clinque, clinque, clinque. Finalmente Ashley falou:

— Bem, ótimo. Eu já esperava por essa.

— Então, ouça, querida — mamãe falou, e eu podia dizer pelo tom de sua voz que ela se movimentava e que provavelmente ia pôr as mãos em volta de Ashley, como Lewis faria. — Tenho certeza de que ela não percebe que isso é um problemão para você. Eu falei que você ligaria para ela...

— Uma ova que eu vou... — Ashley falou em voz alta. — Essa é a coisa mais egoísta e malvada que ela poderia fazer. Juro que se ela não estivesse em Ohio, eu iria procurá-la já e daria um soco na cara dela.

— Meu Deus! — Lydia falou com uma risada nervosa.

— Ia mesmo — Ashley retrucou — Droga, já deu, não aguento mais. Ninguém consegue fazer sequer uma coisa simples que eu peço, esta porcaria de casamento vai ser um desastre total, e será culpa dela com aquela porcaria de peito liso e seu maldito noivo. E quem ela pensa que é para me ligar desse jeito, chorando, quando é ela que está estragando meu casamento. Ela é uma porcaria de uma idiota!

Lydia Catrell acrescentou:

— Nossa, ela só pode ter sido criada em um estábulo. Só pode.

— Eu a odeio. Odeio tudo isto. — Houve um barulho como se algo tivesse caído no chão. — Não preciso dela. Não preciso de ninguém a não ser de Lewis, e nós vamos fugir, juro por Deus que vamos.

— Querida! — mamãe falou, tentando manter-se calma, mas havia aquela pontinha de desatino que surgia na voz dela, a histeria da família engrossando à toda. — Ashley, por favor, podemos dar um jeito.

— Cancele o casamento — Ashley dizia. — Vamos cancelar tudo. Não vou aguentar nada disso. Vou ligar para Lewis já, e vamos fugir. Hoje. Juro por Deus.

— Por favor, não seja idiota. — Com certeza Lydia Catrell nunca vira minha irmã tendo um treco antes, portanto não sabia ficar de boca calada. — Você não pode fugir. Os convites já foram enviados. Seria um desastre social.

— Não estou nem aí com merda nenhuma! — Ashley gritou, e eu me sentei na cama. Lewis não gostava de palavrões, e já fazia um bom tempo que eu não ouvia nenhum palavrão sair dos lábios da minha irmã. Por um instante, pareceu a Ashley de quem eu me lembrava.

— Ashley! — mamãe falou bruscamente. — Por favor!

— Não aguento mais. — A voz de Ashley estava tensa e hesitante agora. — Estou tão cansada de todo mundo me enchendo com detalhes idiotas, e tudo que quero é ficar sozinha. Será que ninguém entende? Este é o meu próprio casamento e odeio todos e tudo relacionado a ele. Não aguento mais. — Ela explodiu em lágrimas, ainda falando, mas agora eu não conseguia entender nada do que ela dizia.

— Querida... — mamãe insistia. — Ashley, meu amor.

— Me deixe em paz. — Uma cadeira foi arrastada no piso e, de repente, tudo ficou quieto, como se ninguém estivesse lá. Alguns segundos depois, a porta da frente bateu, fui até minha janela e vi Ashley diante da entrada de camisola e com os braços cruzados diante do peito, encarando a casa dos Llewellyn do outro lado da rua. Ela parecia pequena e solitária, e eu pensei em bater na vidraça para chamar a atenção dela. Mas pensei melhor e, em vez disso, fui escovar os dentes e ouvi mamãe e Lydia Catrell conversando suavemente, com as vozes baixas, enquanto misturavam seus cafés.

Esperei até esta última tempestade de picuinhas se acalmar, cheguei perto da cozinha e agarrei uma Pop-Tart a caminho da porta para sair para o trabalho. O turno mais chato de todos em Little Feet, a loja de calçados infantis onde eu trabalhava no Shopping Lakeview, era domingo, das treze às dezoito. Talvez seja o pior emprego do mundo, pois você passa o dia todo tirando os sapatos de garotinhos imundos, sem mencionar tocar nos pés deles, mas é dinheiro e quando não se tem experiência de trabalho não dá para escolher muito. Consegui o serviço na loja quando fiz quinze anos em novembro, e desde então fui promovida a vendedora assistente, que é apenas um título pomposo que dão para você sentir que está evoluindo, quando, na verdade, não está. Na primeira semana em que trabalhei lá, tive que passar por uma série de treinamentos sobre vendas de calçados infantis. Me fizeram sentar nos fundos perto do banheiro com uma caixa lotada de fitas em áudio e um livro de exercícios com todas as respostas já escritas por outra pessoa até eu passar por toda a série: "Qual o tamanho certo?", "O método da Little Feet", "Cadarços e solas", "Olá, sapatinhos de bebê!" e finalmente "Meias e acessórios – um pouco mais". Meu gerente era um homem chamado Burt Isker, mais velho que meu avô, que usava ternos antigos bolorentos e que mantinha um calendário com citações bíblicas perto do relógio de ponto. Ele não tinha firmeza nos pés, tinha mau hálito, e todas as crianças morriam de medo dele, mas ele era simpático o bastante para mim. Passava a maior parte do tempo rearranjando as horas de todos para que ele nunca tivesse que trabalhar, e falava sobre os netos. Eu sentia pena dele: trabalhou na cadeia Little Feet a vida toda e acabou no Shopping Lakeview arrumando sapatos e sendo chutado na virilha por crianças agitadas.

O shopping ficava a apenas alguns quarteirões de casa, então andei comendo minha tortinha enquanto ia para lá. Quando cheguei ao saguão principal, parei para colocar o crachá e enfiei a camisa para dentro antes de entrar. Aos domingos, eu trabalhava com Marlene, uma garota baixa e gordinha, que estava na faculdade da comunidade e odiava Burt Isker por nenhum motivo especial, além de ele ser velho e mal-humorado às vezes e por sempre a perturbar por não vender meias. Eles mantinham registros dessas coisas e, de tempos em tempos, em um sábado, um gerente da Little Feet aparecia do escritório central na Pensilvânia e estabelecia para cada um de nós uma cota de sapatos, meias e acessórios. É difícil empurrar meias para uma pessoa que não queira, e Marlene vivia levando bronca por não ser agressiva nas vendas. Eles queriam que você *insistisse* com o cliente, e nos dias de grandes liquidações, Burt ficava atrás de mim quando eu saía da sala de estoque com os sapatos e sibilava: "As meias! Empurre as meias!". Eu tentava, mas os clientes sempre diziam que não, porque nossas meias eram caras ou porque eles não vieram procurar meias, mas apenas sapatos. Não importa os que os figurões da Little Feet pensavam, as meias não faziam parte das compras por impulso.

Marlene já estava lá quando entrei, sentada atrás do balcão com um *donut* na mão. A loja estava vazia como sempre acontecia aos domingos, o shopping deserto exceto por alguns idosos da casa de repouso lá perto dando umas voltas da Belk's até a Dillard's e vice-versa, com uma pausa para olhar para o pulso diante do Yogurt Paradise. Tocava música de elevador, Marlene lia a *Enquirer* e reclamava sobre Burt Isker, quando nossos primeiros clientes entraram. Devido ao tempo de loja, eu tinha prioridade quando não havia movimento, então me levantei e fui ver o que precisavam.

— Oi, o que desejam? — falei com a minha voz animada de vendedora. A mãe ergueu o olhar para mim com uma expressão vazia no rosto; o pai estava em cima dos tênis, erguendo-os um a um para verificar os preços. O menininho que eles arrastaram para lá estava sentado perto da mãe e chupava o polegar.

— Queremos tênis novos. — O pai se aproximou de mim, segurando um modelo popular chamado Benjamin na mão. Todos os sapatos da Little Feet tinham nomes de crianças, fazia parte da graça. A cadeia Little Feet era cheia de graça. — Mas trinta e cinco dólares parece muito. Tem algo mais em conta?

— Só este — respondi, segurando um modelo chamado Russell, que era barato devido às listas feias amarelas e rosas chamativas, modelo do ano passado que nunca vendeu bem. — Está em promoção por dezenove e noventa e cinco.

Ele pegou os tênis da minha mão e olhou. Era muito "cheguei", especialmente sob as luzes fluorescentes.

— Vamos experimentar, mas não sei que tamanho ele deve estar usando agora.

Fui pegar o medidor, depois me agachei diante do garoto e desfiz o laço. Houve uma pequena explosão de terra e pedriscos quando o retirei, com o que a mãe dele, como todas as mães, pareceu constrangida e falou:

— Ai, puxa, desculpe.

— Tudo bem — respondi. — Acontece sempre. — O garotinho se levantou e eu ajustei o pé dele no medidor, deslizando o botão ao lado para ver até onde ia. — Tamanho seis.

— Seis! — a mãe exclamou. — Sério? Nossa, ele usava apenas cinco e meio faz poucos meses.

Eu nunca sabia o que responder a isso, então apenas concordei, sorri e fui buscar o feio Russell na sala de estoque, onde tínhamos toneladas deles empilhados. Marlene ainda estava no mesmo local, lambendo os dedos e virando as páginas brilhantes da *Enquirer*.

Enquanto eu amarrava o sapato, sentada no chão diante do garotinho, ele olhou para mim, tirou o polegar da boca por tempo suficiente para me dizer:

— Você é grandona!

— David — a mãe falou rapidamente. — Isso não é legal.

— Tudo bem — respondi. Estava acostumada com isso agora: as crianças são totalmente honestas e não fazem rodeios.

Depois que passamos pelo ajuste, amarração e apertão nos dedos, todos vimos David andar pela loja com seus tênis chamativos e feios, em seu rosa e amarelo gritantes em contraste com o carpete laranja, e a decisão foi feita por servirem direitinho e pelo preço conveniente. Observei o pai assinar o talão do cartão de crédito, a letra bonita e cheia de curvas, depois coloquei os sapatos velhos na caixa nova, entreguei um balão ao garoto, e eles saíram. Little Feet era pobre demais para ter hélio, então distribuíamos balões enchidos com a bomba de bicicleta, com uma fita amarrada para que pudessem arrastá-lo por aí atrás de você como um cachorro redondo de plástico. Há algo de deprimente em um balão que apenas fica lá, indiferente. Eu sempre me desculpava quando os oferecia para as crianças, como se fosse minha culpa, de alguma forma.

Disse a Marlene que ia fazer um intervalo e fui até o Yogurt Paradise para uma Coca-Cola. O shopping ainda estava paradão, e eu acenei para o segurança. Ele estava do lado de fora da loja de plantas artificiais, paquerando a dona, que usava o cabelo desfiado, tipo Amy Winehouse, e tinha uma risada alta que ecoou o tempo todo atrás de mim enquanto eu passava por eles. Peguei meu refrigerante e andei um pouco mais na direção da Dillard's, onde havia um palco montado e acontecia algum agito: várias pessoas corriam por lá e batiam pregos, uma mulher com um microfone reclamava que ninguém prestava atenção. Sentei-me em um banco a uma distância segura e observei.

Havia um sinal bem perto de mim que dizia MODELOS DO SHOPPING LAKEVIEW: OUTONO ESPETACULAR!, com uma data, horário e o desenho de uma garota com um chapelão, parecendo misteriosa. Todos da cidade sabiam sobre as Modelos Lakeview, ou pelo menos sobre a Modelo Lakeview mais famosa de todas, Gwendolyn Rogers. Ela cresceu aqui na cidade na rua McCaul, estudou na escola Newport exatamente como eu, e foi uma de nossas primeiras modelos, que basicamente consistiam em um punhado de garotas do local todas maquiadas e que se agitavam no meio do shopping para os desfiles de moda da estação. Ela era a coisa mais próxima de uma celebridade local, já que depois de descoberta, tinha viajado para Nova York, Milão e Los Angeles e todos os outros locais glamurosos onde as garotas lindas vão. Ela foi capa da *Vogue* e fazia inserções sobre moda no *Good Morning America*, sempre diante de alguma loja chique com os cabelos presos para cima e um microfone plantado nos lábios, dizendo ao mundo as novidades em relação ao comprimento de roupas. Mamãe dizia que os Rogers tinham deixado o sucesso de Gwendolyn subir às suas cabeças coletivas, já que eles raramente conversavam com os vizinhos e construíram uma piscina no quintal para a qual nunca convidavam ninguém. Eu só vira Gwendolyn uma vez, quando tinha oito ou nove anos e estava indo ao shopping com Ashley. Lá estava ela diante da casa, lendo uma revista e andando com o cachorro. Ela era tão alta, uma gigante, com shorts curtos e uma camiseta branca básica; ela sequer parecia real. Ashley cochichou para mim: "É ela". Eu me virei para observá-la bem quando ela nos viu, a cabeça se movimentando ligeiramente sobre seu pescoço alongado como o de uma gazela, como uma marionete com fios que se esticavam até alcançarem Deus. Então, eu não sabia o que me reservava, o que eu teria em comum com Gwendolyn além de nossa cidade e bairro compartilhados. Naquela época, eu ainda era pequena e normal, fiquei olhando para ela, e ela acenou como se estivesse acostumada a isso, entrou na casa com o cachorro, que era baixinho e gordo, quase sem pernas à vista, como um balão Little Feet.

Por causa de Gwendolyn, todos conheciam o concurso Modelos do Shopping Lakeview. Ela mencionava claramente o evento em todas as entrevistas quando perguntavam onde ela começou e chegou a aparecer um ano para ser júri no concurso. Todos na cidade achavam que era tudo uma bobagem, embora todas as garotas tentassem assim que completavam a idade, até minha irmã, que era baixa demais e não passou da primeira rodada. O concurso tinha acabado de acontecer algumas semanas antes aqui na Dillard's, e minha melhor amiga, Casey Melvin, chegou a nos inscrever. Eu tive vontade de matá-la quando descobri o cartão de confirmação na caixa de correio, tudo oficial com o papel timbrado cor-de-rosa do Shopping Lakeview. Casey me falou que só tinha feito aquilo porque eu tinha mais chances que qualquer outra, já que ser alta era noventa por cento do pré-requisito para ser modelo. Mas a ideia de andar sozinha – com minhas pernas enormes e ossudas e braços magrelos, diante de todas aquelas pessoas assistindo, era o conteúdo de meus pesadelos. Como se a altura fosse o que era necessário para ser Cindy Crawford ou Elle Macpherson ou até Gwendolyn Rogers. Não tinha certeza de onde Casey conseguiu sua estatística de porcentagens, mas devia ser das revistas *Seventeen* ou *Teen Magazine*. Ela costuma citar as duas como se fossem a própria Bíblia. Eu não tinha interesse em ser modelo; atrair a atenção propositadamente era a última coisa que eu queria fazer. E assim, no dia da eliminação, enquanto Casey era cortada na primeira rodada, fiquei em casa e me escondi no quarto, de persianas fechadas, como se o evento que estava acontecendo a apenas uns quarteirões pudesse me machucar.

 Ashley também foi. Como garota dos cosméticos Vive, ela foi requisitada a ficar no balcão e oferecer pacotes de presentes grátis da Blush 'n' Brush a todas as candidatas. Ela disse que toda garota feia de cara e de bunda de cinco países ao redor apareceu por lá com delineador e batom exagerados, posando para cima e para baixo da passarela de plástico montada no departamento de Malhas e Complementos da Dillard's. O jornal fez cobertura e relatou que houve choro e risadas, alegria e tristeza, como sempre acontecia nas eliminações do evento, já que a maioria das garotas era enviada de volta para casa por ter aparência normal, ser baixa ou gordinha, grande ou pequena e por não ser Gwendolyn Rogers. Escolheram quinze garotas que agora poderiam proclamar com orgulho que deveriam participar de funções oficiais do shopping, como a exibição de carros, de caixas de sabão dos Grupos de Escoteiros e ficar por lá sorrindo com os meninos de doze anos de idade, ou a exibição de casa e jardim, fazendo demonstrações de compostagem e reciclagem. Elas também deveriam participar dos desfiles de moda do Shopping Lakeview, o primeiro dos quais era o Outono Espetacular!, que parecia estar sendo ensaiado naquele domingo.

Havia uma mulher com agasalho esportivo roxo que parecia comandar tudo, ou pelo menos ela pensava assim, já que andava por lá gritando para todos fazerem silêncio. As Modelos Lakeview estavam todas agrupadas na beira do palco, posando, soltando risinhos e parecendo importantes. Usavam camisetas vermelhas do Shopping Lakeview e shorts curtos, além de saltos altos que ressoavam por todo o lugar, provocando um barulho enorme. Uma delas, uma morena com os cabelos presos atrás, olhou para mim, depois cutucou a garota ao lado dela para que ela se virasse e olhasse também. Eu me senti curvando a coluna e me imaginei uma anãzinha entre as Modelos Lakeview de saltos e batom, uma esquisita entre as fadas.

— Garotas, garotas, prestem atenção. — A mulher de agasalho batia palmas, trazendo o silêncio, exceto pelo *pop pop pop* do grampeador do cara no palco, que o usava para prender folhas gigantes no cenário de fundo. — Agora temos menos de três semanas até a hora deste desfile, então precisamos agir com seriedade e trabalhar. Como Modelos Lakeview, é essencial que vocês apresentem a melhor imagem para a comunidade.

Isto pareceu acalmar todos, exceto o cara do grampeador, que apenas revirou os olhos para ninguém em especial e suspendeu mais uma folha no palco.

— Então — a mulher prosseguiu — vamos fazer exatamente como ensaiamos na semana passada. Vocês entram, andam pelo corredor central, atravessam o palco, param e depois descem pelo caminho que entraram. Lembrem o ritmo que aprendemos na semana passada: um, dois, três. — Ela estalou os dedos, demonstrando. Uma das modelos, uma garota baixa de cabelos pretos compridos, também estalou os dedos para ter certeza de ter aprendido. Terminei minha Coca e joguei o copo no lixo.

— Tudo bem, vamos treinar em fila. — A mulher subiu os pequenos degraus ao lado do palco, com as Modelos Lakeview cliqueclaqueando os sapatos atrás dela. As vozes e as mexidas nos cabelos se fundiram em uma longa corrente de garotas, um borrão de maquiagem, risinhos e pele clara. Elas se enfileiram bem à minha direita e pude sentir os ossos de quadris protuberantes. Queria cortar metade do meu tamanho, ficando pequena o suficiente para caber no canto, sob a mesa, na palma de uma mão.

Eu me levantei rapidamente enquanto elas ainda arrastavam os pés em ordem, camiseta vermelha após a outra, curva após curva, o mesmo sorriso branco e cheio de dentes repetido à exaustão. Eu me virei e voltei à Little Feet, enquanto a mulher de agasalho roxo batia palmas com o ritmo atrás de mim, e a primeira garota começou a andar pelo caminho, prestando atenção à batida: um, dois, três.

Capítulo Quatro

Lydia Catrell transformou a vida de mamãe. Ela trouxe à tona outro lado de mamãe com seu bronzeado, cabelos com luzes e muitos trajes e sandálias de combinações de cores vivas que, de outra forma, eu achava que permaneceria dormente para sempre, nunca sendo revelado ao mundo. Mamãe, que gastou a maior parte da vida sorrindo e se desculpando enquanto papai entretinha e ofendia todos ao redor, teve que esperar que ele saísse das luzes até finalmente emergir como ela mesma. E gostássemos ou não (e eu geralmente não gostava), Lydia Catrell tinha lhe mostrado o caminho.

Lydia era viúva, como todas as mulheres da Flórida pareciam ser. O marido lidava com negócios de utensílios de plástico, e a casa dela era repleta das mais diversas vasilhas plásticas, espátulas e tapetinhos de banheiro mais coloridos que se possa imaginar. Ela se mudou com uma ostentação de mobília vibrante, tudo passando pela entrada da garagem ao lado da nossa: um sofá rosa, uma cadeira de descanso turquesa, um divã pêssego. Mamãe apareceu no dia seguinte com um vaso de argila repleto de rosas e zínias e ficou lá por três horas, a maior parte do tempo ouvindo Lydia falar sobre ela, os filhos e o marido morto. Lydia era toda cores e barulho, com seus shorts pink e camisetas com lantejoulas e franjas, disparando pelo bairro com seu enorme sedã de luxo Lincoln como um ciclone, modificando a paisagem em volta dela, e minha mãe foi envolta imediatamente.

Em um mês, a mudança já era visível. Mamãe usava sandálias e até uma camiseta com lantejoulas de vez em quando, fez luzes nos cabelos e ia todas as noites de quinta ao Ranzino's, um bar do Holiday Inn que apresentava sucessos fáceis de ouvir, dança e toneladas de homens barrigudos com perucas. Mamãe voltava para casa com o rosto corado, agitando seus cabelos recém-tingidos, dizendo que não acreditava que foi parar num lugar daqueles, que Lydia era uma figura, e que aquilo não era coisa para ela, mas chegava a próxima quinta e lá ia ela. Eu ficava sentada lá em cima e ouvia mamãe desabafar coisas do coração para Lydia Catrell, tomando café, pensando que essas eram coisas que ela nunca compartilharia comigo. Ela chorava e xingava papai enquanto Lydia estalava a língua e dizia: "Pobrezinha, deve ter sido tão difícil para você". Ashley tinha Lewis, mamãe tinha Lydia, mas eu ficava sozinha nas noites de quinta, aguardando o barulho do carro na entrada e da chave de mamãe na fechadura da porta da cozinha. Não conseguia dormir até ouvi-la tentando andar nas pontas dos pés diante da minha porta, em um esforço para não me acordar.

A novidade era a viagem para a Europa. Lydia pertencia a um clube de viagens chamado The Old-Timers, um grupo de mulheres solteiras com mais de quarenta anos que conseguia descontos viajando juntas para locais exóticos, geralmente Las Vegas. Mamãe foi em uma dessas excursões alguns meses após Lydia se mudar. Passei o fim de semana com papai e a Mulherzinha do Tempo, imaginando mamãe jogando vinte-e-um, assistindo Wayne Newton e indo ao museu de Liberace, tudo isso listado no itinerário de viagem da The Old-Timers. Após três dias e quatro noites, mamãe retornou com um conjunto novo de shorts e sandálias brancas, ganhos de uns cinquenta dólares e milhões de histórias sobre essas mulheres de meia idade tomando Vegas de assalto. Ela disse que nunca se divertira tanto, portanto não era de espantar que estivesse interessada na viagem para a Europa. Era uma extravagância de quatro semanas pela Inglaterra, Itália, França e Espanha, com paradas no caminho para ver touradas, fazer um passeio ao palácio de Buckingham e tomar sol nua no sul da França, sendo que a última parte mamãe decidiu não fazer. Se ela fosse, partiria duas semanas após Ashley se casar.

– Imagine só – argumentava Lydia certa tarde, quando eu voltava do trabalho –, quatro semanas na Europa. Era o que você gostaria de fazer na faculdade, mas que não conseguia pagar. Agora você tem dinheiro, então por que não?

– Não tenho dinheiro – mamãe respondeu. – Com o casamento tão perto, e Haven voltando para a escola também, não acho que seja uma época boa.

– Haven é uma moça. – Lydia sorriu para mim. – Veja como ela é alta, puxa. Ela pode se cuidar durante um mês. Ela vai adorar.

– Ela só tem quinze anos – retrucou mamãe, e pude perceber pela maneira com que mordia os lábios que ela ainda não se decidira. Eu me senti mal com isso, mas havia algum lugar em mim que não queria que ela fosse. A Europa parecia tão distante. Não conseguia imaginá-la em lugar nenhum exceto diante dos famosos pontos turísticos de meus livros de história. Mamãe e Lydia diante da torre Eiffel, da abadia de Westminster, da torre inclinada de Pisa. Mamãe e Lydia, topless na França – os marcos históricos eram fichinha.

Observei mamãe do outro lado da mesa enquanto ela falava com Lydia. De vez em quando, eu a pegava sorrindo para mim, aquele mesmo sorriso do qual eu me lembrava, de quando as coisas estavam melhores e papai enlaçava a cintura dela, puxando-a para mais perto da forma que eu sempre queria fazer agora. Tirá-la de perto de Lydia e do resto do mundo e tê-la todinha para mim – mesmo que por um tempinho.

Enquanto isso, o casamento continuava a absorver nossas vidas. Ele pairou sobre a casa como uma nuvem de tempestade, recusando-se a mexer, prometendo desastres possíveis a qualquer segundo. Todas as superfícies, da mesinha de centro até o tampo da televisão, pareciam estar cheias de pequenos pedaços de papel detalhando lembretes para o casamento com a caligrafia pequena e caprichosa de mamãe.

Damas de honra: pedidos até?
Ashley: outra reunião com o bufê em 30 de julho
Haven: sapatos, meia-calça, cabelos?
Lista de RSVP: versão final
Europa???????????????????

Ela os largava por ali como dicas, uma forma que eu tinha de me atualizar com as preocupações diárias dela; assim como eu me sentava no banheiro e ouvia pela ventilação seus lamentos para Lydia todas aquelas manhãs. Só podia compartilhar as preocupações de mamãe à distância, sem que ela soubesse de nada.

Enquanto isso, papai voltou da lua de mel de uma semana nas Ilhas Virgens, bronzeado, com mais cabelos e um sorriso estampado na cara, que mamãe notou mesmo da janela da frente, quando ele me deixou após nosso jantar semanal. Ela mexeu nos cabelos e manteve para ela qualquer comentário sarcástico, que deixou seu rosto contorcido antes de sair mais uma vez com Lydia, que soava a buzina do carro três vezes para convocar mamãe a ir até o Holiday Inn.

Então, havia Ashley, que após ter de lidar com a participação sim-não-sim-não de Carol no casamento (agora novamente sim, após muitas lágrimas, muita briga a longa distância e a promessa de que ela sairia imediatamente após as fotografias do casamento serem feitas), estava enfrentando nova crise, desta vez era sobre o primeiro jantar formal com os pais de Lewis, os Warsher. Fiquei sentada no meu quarto e a ouvia destruindo o armário, os cabides se chocando, até que fui convocada para julgar qual seria o melhor vestido.

— Tudo bem — ela disse de dentro do armário, onde estava ocupada remexendo tudo —, esta é a primeira opção. — Ela saiu com um vestido vermelho de gola branca, puxando a bainha para ele parecer mais comprido que era.

— Muito curto — falei. — Muito vermelho.

Ela se olhou no espelho, depois desistiu da bainha e voltou para o armário.

— Você está certa. Vermelho sinaliza uma mensagem errada. Vermelho é aviso; fica gritando. Preciso algo que me faça misturar. Quero que eles me recebam bem na família deles.

Desde que Ashley conheceu Lewis, ela adotava o que mamãe chamava de "frases de Oprah". Lewis falava da mesma forma. Honestamente falando, ele sempre fazia média, gostava de paz. Era o tipo de pessoa que seguraria sua mão em um avião se você estivesse com medo e seria capaz de citar textualmente as estatísticas sobre qual seria a opção mais segura. Eu só podia imaginar como seria um clã inteiro de Warsher. Eles eram de Massachusetts: isso era tudo que sabíamos.

Ela voltou com um vestido branco com decote alto e uma saia longa e flutuante que farfalhava quando ela andava.

— Então?

— Você parece uma santa — respondi.

— Uma santa? — Ela se virou e olhou no espelho, para julgar por si. — Puxa, isto está péssimo. Tudo errado. — Ela se sentou ao meu lado na cama, cruzando as pernas. — Eu só quero que eles gostem de mim.

— Claro que eles vão gostar de você. — Este era um dos raros momentos desde o noivado em que Ashley e eu estávamos apenas conversando, sem gritar, ou discutir o casamento, ou trocar olhares estranhos e desagradáveis nas escadas. Falei lentamente, como se uma palavra errada pudesse estragar tudo.

— Sei que vão fingir que gostam de mim; precisam fazer isso. — Ela se deitou, esticando os braços sobre a cabeça. — Mas eles são pessoas normais, Haven. Os pais de Lewis estão casados há vinte e oito anos. A mãe dele é professora de jardim da infância. O que vão pensar de papai se ele começar a falar alto no casamento e fizer aquela coisa de O Mágico de Oz? Além disso, já disse à mamãe que ela tem que manter Lydia sob controle, pois eles não vão saber como lidar com ela. Eu mesma não sei como lidar com ela.

— Ela é a melhor amiga de mamãe.

— Acho que sim. — Ela suspirou, balançando os pés novamente na beira da cama.

— Você acha que a mamãe vai para a Europa com ela? — perguntei.

— Não sei. — Ela se sentou e olhou para mim. — Seria bom para ela, acho. Toda essa coisa com papai foi muito mais difícil do que ela deixa transparecer. Ela merece se dar um agrado.

— Eu sei. — respondi, pensando no quanto ela deixava transparecer para Ashley. Com aquela sentença, pude sentir os cinco anos de diferença entre nós novamente. — Eu só acho que com o casamento e tudo o mais...

— Haven, você está no ensino médio, agora. Você deveria pular de alegria com a oportunidade de ficar sozinha por tanto tempo. Puxa, eu ia arrebentar. — Ela se levantou e foi atrás do biombo, jogando o vestido sagrado por cima alguns segundos depois. — Mas você não vai, e isso é bom. Você não vai ser como eu.

Me lembrei da longa lista de namorados de Ashley na escola, todos os nomes e rostos deslizando juntos até que acabaram com o nariz fino de Lewis e seu olhar constante de preocupação. Pensei em Sumner novamente. De repente, o vi claramente na minha cabeça, no calçadão em Virginia Beach, o pôr do sol desaparecendo em rosa, vermelho e lilás atrás dele. Ouvi a campainha tocar lá embaixo e Ashley falou:

— Atenda para mim, por favor? É o Lewis.

Desci e abri a porta. Era mesmo, lá estava Lewis com uma de suas gravatas estreitas de marca e camisa com botões na gola. Ele segurava um buquê de flores roxas vivas com miolos amarelos, rodeadas por algum tipo assustador de folhagem crespa. Era difícil escolher flores para a casa de mamãe, então Lewis sempre trazia as exóticas: orquídeas e tulipas fora da estação. Ele queria trazer coisas para Ashley que ela não teria em casa e com a jardinagem obsessiva de mamãe, sobrou muito pouca coisa a escolher.

— Oi, Lewis — falei. — Como está?

— Bem. — Ele se inclinou e me beijou no rosto, algo que começou a fazer logo depois que o noivado foi anunciado. Eu era mais alta do que ele, e isso tornava tudo estranho. Ele ainda insistia, apesar disso, sempre que eu o via.

— Você quer que eu coloque as flores na água? — indiquei com a cabeça.

— Claro, seria ótimo! — Ele me entregou. — Ela está lá em cima?

Eu o vi subir, pulando os degraus de dois em dois. Ele se movimentava pela nossa casa com a desenvoltura de alguém que há muito não era mais considerado visitante, sem andar cuidadosamente pelos cantos e pelas beiradas da mobília, mas andando facilmente pelos pisos como se ele pertencesse ao espaço. Não levou muito tempo para Lewis se sentir em casa; ele vinha quando precisávamos de um homem na casa. Com papai fora, e as três lutando para preencher espaços que ele deixou para trás, era somente natural que Ashley encontrasse alguém para mantê-la inteira, para cuidar das coisas. Talvez fosse exatamente isso que eu odiava em Lewis — sua absoluta falta de graça — e que era o que mais atraía Ashley. Após o divórcio e toda a loucura, ela precisava de algo normal e firme para se aterrar. Talvez na época ela não quisesse mais nenhuma surpresa.

Ashley sempre se voltava para um carinha novo quando as coisas ficavam complicadas, ou duras, ou solitárias. Nunca ficava sozinha. Ela sempre comandava, recebendo e afastando pessoas da nossa porta e de nossas vidas com o agitar de uma das mãos. Os que eu gostava e os que eu odiava, eles vinham e saíam a seu capricho com pouca ou nenhuma explicação para o resto de nós, além de uma porta batida ou uma fungada abafada que eu só ouvia tarde da noite. Ashley mantinha tudo para si, mesmo quando não era a única a ser afetada.

Ashley namorou Sumner todo aquele verão de Virginia Beach e até o próximo outono, ele acelerando o Fusca pela cidade e rindo o tempo todo, enchendo a casa com barulho sempre que eles chegavam trazendo a brisa. Sempre que Sumner aparecia, todos saíam de suas respectivas tocas: mamãe da cozinha, papai da frente da televisão, todos nós migrando na direção de sua voz e risada, ou qualquer coisa que fazia todos quererem estar perto dele. Os dois celebravam cada mês que passavam juntos; ele comprou uma pulseira de prata com um coração fininho pendurado, que roçava a pulseira do relógio dela. Eu podia ouvi-los na entrada da garagem pouco após a hora de voltar para casa, as vozes subindo pela minha janela, depois o resfolegar do motor do Fusca quando ele saía, aquele murmúrio baixo e regular que enchia a rua inteira, zunindo. Ashley era alegre e legal comigo, e as coisas foram boas naquele outono conforme os dias se tornavam mais frios e árduos, e a previsão de tempo no Canal 5 ainda era feita por Rowdy Ron, o Cara do Tempo, que era gordinho, um pouco louco e não ameaçava o casamento de meus pais de forma alguma. Uma nova família se mudou para a parte de baixo da rua, e Ashley arrumou uma nova melhor amiga, uma garota chamada

Laurel Adams, com sardas e fala arrastada. Ashley e Sumner deram carona para ela até a escola todos os dias naquele outono após Virginia Beach e a apresentaram para todos; logo ela aparecia de surpresa na porta dos fundos com eles. Sumner imitava o sotaque, ela e Ashley compartilhavam roupas, e eu ficava por lá nos cantos dos quartos, observando-os, ouvindo a voz deles pela casa. Sumner sempre olhava para cima, me via e gritava: "Senhorita Haven, pare de se esconder e apareça!". Ashley colocava um braço nos meus ombros e provocava Sumner, dizendo que ele a traía comigo. Laurel Adams mexia seus longos cabelos loiros cor de mel e dizia "Ai, meu Deus", como sempre fazia quando não tinha nada melhor para contribuir. O tempo ficava cada vez mais frio, e mamãe empacotou todas as minhas roupas de verão, tirando a areia de Virginia Beach dos meus shorts e blusinhas, antes de sumir com elas no sótão até o feriado do *Memorial Day*[3].

Chegou o Halloween, e Sumner fez uma lanterna de abóbora que deveria se parecer com Ashley, mas acabou virando um nada. Ashley pôs uma das gravatas horrorosas de Sumner ao redor dela, e a pendurou sobre o corrimão da varanda. Ashley se fantasiou de Cleópatra, Sumner de cientista louco, e Laurel Adams de Marilyn Monroe com uma peruca platinada e um vestido que eu diria que mamãe achou muito, muito justo. Eles me levaram pelo bairro, casa após casa, comeram os meus doces, eu sentia como se realmente estivesse fazendo alguma coisa, sendo alguém, com eles todos em minha volta. Depois me deixaram em casa, Ashley beijou a minha testa – o que nunca acontecia – e eles se foram, arremetendo-se rua abaixo com a luz batendo no loiro da peruca de Laurel, tornando-a prateada. Me sentei e vi

---

[3] O *Memorial Day* é um feriado nacional norte-americano que acontece anualmente na última segunda-feira de maio. Ele homenageia os militares americanos que morreram em combate. (N.E.)

papai assustando todos os que pediam "gostosuras ou travessuras" com a sua máscara de monstro, até que todos voltaram para casa e fui para cama comer doces no escuro. Estava quase caindo no sono quando os ouvi lá fora.

Primeiro o carro vindo pela rua, parando na entrada da garagem, e depois a voz de Ashley, rude:

— Não estou nem aí, Sumner. Vá embora, tá?

— Como você pode fazer isso? — A voz dele era estranha, não parecia ele. Eu me sentei na cama.

— Acabou. — Uma batida de porta de carro. — Me deixe em paz.

— Você não pode simplesmente sair assim, Ash. — A voz dele era sobressaltada, sem fôlego, como se ele estivesse se movimentando pelo quintal atrás dela. — Pelo menos vamos conversar.

— Não vou conversar. — Os pés dela bateram nos degraus da escada. — Deixa quieto, Sumner. Esqueça.

— Esqueça?! Merda, não consigo esquecer, Ashley. Não é algo que se pode apagar assim.

— Sumner, me deixe em paz. — Eu pude ouvi-la atrapalhada com as chaves. — Vá embora. Por favor. Vá.

Uma pausa, longa o bastante para ela ter entrado na casa, mas ela ainda estava lá fora. Depois...

— Qual é? — Era Sumner.

— Vá embora, Sumner. — Agora a voz dela desmoronou, um soluço abafando o final das palavras. — Vá embora.

A porta se abriu e se fechou com a mesma rapidez, e eu ouvi os pés dela subindo a escada, e a porta do quarto se fechar com um clique. Silêncio. Eu me levantei e fui até a janela. Sumner estava diante da casa, passava as mãos nos cabelos e olhava para cima, para o quarto de Ashley. Ele ficou lá um tempão, com a fantasia, o avental de laboratório e o estetoscópio, não mais parecia um cientista maluco, mas alguém que parecia profundamente perplexo com algo, ou perdido. Pressionei minha palma contra a vidraça, pensando que ele pudesse ver, mas se ele viu, não se manifestou. Em vez disso, se virou para o Fusca e andou a pequena distância da grama para a entrada, dando-se um tempo. Deu a partida, o barulho encheu o ar, a sua música tema zunindo quando ele saiu, parou ao fim da entrada da garagem e finalmente partiu. Voltei para a cama e encarei o teto, sabendo que ele não voltaria. Já tinha ouvido Ashley dando o fora nos carinhas antes na varanda, e eu conhecia aquele tom, aquela intenção na voz dela. Na manhã seguinte, ele saiu de nossas conversas, apagado de nossas lembranças coletivas. Haveria alguém novo – logo, provavelmente na mesma semana. Minha irmã, como um camaleão, mudaria de voz ou de cabelos da noite para o dia, para combinar com os maneirismos de qualquer um que fosse o próximo. Sumner, como tantos antes dele, sairia da vista e se juntaria às fileiras de corações partidos, despedidos com um aceno de mão impaciente da minha irmã.

Capítulo Cinco

Todas as semanas, papai me levava para jantar na noite de quinta. É nosso tempo especial juntos, ou assim mamãe costumava chamar logo após o divórcio, uma expressão tirada diretamente do *Ajudando os filhos a superar o divórcio* ou *Guia de sobrevivência para famílias abandonadas*, ou quaisquer dos intermináveis livros que se acumularam pela casa nesses primeiros meses, orientando-nos por território desconhecido. Todas as vezes, ele estaciona na frente da casa e espera, sem buzinar, até que eu saio e cruzo a calçada, sempre me sentindo desconfortável e pensando se mamãe está observando. Ashley costumava ir junto também, mas, com o casamento tão próximo, ela deu para cancelar todas as semanas, preferindo passar o tempo sendo confortada por Lewis, ou brigando com mamãe sobre entradinhas para a recepção.

Sempre há alguns minutos de estranheza quando entro no conversível de papai e coloco o cinto de segurança, aquela troca de gentilezas nervosas como se não mais nos conhecêssemos muito bem. Sempre achei que ele devia se sentir como se estivesse cruzando território inimigo e que por isso ficava no carro com o motor ligado, nunca ousando se aproximar totalmente da porta da frente. Ele costuma me levar para qualquer restaurante que andava frequentando naquela semana – italianos, mexicanos, um bar seboso, uma casa de grelhados com cerveja gelada e um bartender que conheça papai pelo nome – e em todo lugar que ele me leva sempre há pelo menos alguém que aparece e fica para uma cerveja, conversando sobre esportes e resultados enquanto eu fico sentada do outro lado da mesa com um ginger ale[4], olhando para as paredes. Mas estou acostumada com isso, sempre me acostumei com isso. Papai é celebridade local e tem o seu público. No supermercado ou no shopping, ou mesmo nas ruas, eu sempre devo estar preparada para compartilhá-lo com o resto do mundo.

– Então, quando as aulas começam de novo? – ele perguntou após um homem cujo nome não guardei finalmente se levantou e saiu, tendo recapitulado as últimas quatro temporadas inteiras da NFL, completadas com gestos de mão aleatórios.

– Vinte e quatro de agosto – respondi. Nesta semana estávamos em algum restaurante novo de massas frescas italianas chamado Vengo. O teto era azul, com nuvens pintadas; todos os garçons usavam branco e se movimentavam através da selva

---
[4] Refrigerante feito à base de gengibre, comum nos Estados Unidos, Canadá e Inglaterra. (N.E.)

de samambaias e plantas em vasos que pousavam sobre todas as mesas, pendendo do teto.

— Como a sua irmã está se saindo?

— Tudo bem, acho. — Agora eu estava acostumada com esse tipo de perguntas. — Embora ela tenha um ataque de nervos a cada dois dias, acho.

— A mesma coisa acontecia com Lorna. Deve ser um desses privilégios de noiva. — Ele girou o macarrão no garfo, sujando a gravata. Papai fazia uma bagunça ao comer, um tipo de pessoa exagerada, não adequado realmente aos restaurantes elegantes que ele gostava de frequentar. No entanto, ele era o cliente ideal com suas histórias turbulentas e o rosto conhecido de locutor esportivo. E agora com a esposa-troféu para combinar (expressão de Lydia Catrell, não minha. Ouvi pela fresta da ventilação).

— Sabe — falou ele, após alguns minutos de silêncio —, Lorna realmente quer passar um tempo com você e Ashley. Para conhecê-las melhor. Ela acha que com o divórcio e nosso casamento, vocês três não tiveram muito tempo para se ligarem.

Peguei meu fettucini, sem olhar para ele. Pensei que já tinha feito muito por Lorna, com seus adereços de dama de honra, chá de cozinha e todos os feriados em que ela aparecia até antes de eles ficarem noivos, se enfiando em todos os lugares onde mamãe costumava ir, mas sem conseguir se ajustar. As noites de quinta eram a única ocasião em que eu via papai sem ela, pois ela tinha que fazer o jornal das seis, o Relatório Rápido do Tempo das nove e meia e a última previsão no fim da noite às onze. Lorna era uma máquina do tempo nas quintas, então respondi:

— Bem, Ashley anda bem ocupada, e...

— Eu sei — ele assentiu. — Mas depois do casamento, assim que as coisas tiverem se acalmado, talvez vocês três possam fazer uma viagem juntas. Para a praia, algo assim. Por minha conta. – Ele sorriu para mim. – Você vai gostar dela se der uma chance, querida.

– Eu gosto dela – respondi, me sentindo culpada. De repente, fiquei louca com Ashley por ter escapado do jantar e me deixado sozinha para fazer as pazes com Lorna por meio de nosso pai.

– Ei, McPhail! – Uma voz alta falou atrás de mim, e um homem enorme deu uns tapas nos ombros de papai. – Não vejo você há um milhão de anos, malandro esperto! Como vai?

Papai se levantou e cumprimentou o cara, sorrindo, depois me apontou.

– Esta é a minha filha, Haven. Haven, este é o filho da puta mais maluco que você já viu, Tony Trezzora. Ele é o maior ala que já tiveram naquela sua escola.

Sorri, pensando em quantos filhos da puta malucos papai conhecia de verdade. Era como ele apresentava quase todo mundo que aparecia. Voltei à minha massa, enquanto Tony Trezzora sentou-se junto conosco, os joelhos enormes mexendo tanto a mesa que tive que firmar meu copo de água com a mão. Eu estava estudando o tamanho do pescoço de Tony quando, de repente, surgiu alguém ao meu lado com um daqueles moedores de pimenta gigantes, agitando-o como uma varinha mágica bem em cima da minha comida.

– Pimenta, senhorita?

– Ah, não – respondi. – Está bom assim.

– Parece que a senhorita precisa um pouco. Acredite. – Dois giros e um pequeno chuvisco de pimenta caiu sobre minha comida. Olhei para a pessoa que segurava o moedor e quase caí da cadeira. Era Sumner.

— Oi — falei, enquanto ele sacava outro moedor do bolso, este cheio de uma substância branca.

— Queijo? — ele perguntou.

— Não — respondi. — Não acredito...

Gira, gira, e eu ganhei queijo. Ele sorria o tempo todo para mim.

— Você gosta de queijo, Haven. Eu me lembro disso.

— O que está fazendo aqui? — quis saber. A última vez que o vi fora no supermercado algumas semanas após Ashley romper com ele. Ele trabalhava na produção, ensacando kiwis, e teve problemas em me olhar nos olhos mesmo quando brincou comigo.

— Sou o cara da pimenta e do queijo. — Ele girou o moedor de novo, apenas para mostrar, depois o colocou de volta no bolso do avental como um caubói após um tiroteio. — Também tenho permissão para encher o seu copo de água se desejar.

— Não, obrigada — falei, ainda olhando para ele enquanto ele se ocupava de nossa mesa, retirando pratos vazios e em prontidão, com os moedores de pimenta e de queijo enquanto papai trocava informações estatísticas com Tony Trezzora e nem prestou atenção nele.

— Como está a sua mãe? — Ele olhou ao redor para as outras mesas, atento.

Fiquei muito surpresa ao vê-lo, aparecendo do nada com queijo para meu macarrão, e perguntei:

— Há quanto tempo está na cidade?

— Apenas algumas semanas. — Ele saiu do caminho quando uma garota carregando uma bandeja enorme no ombro passou vacilante por perto; ela mal conseguiu evitar uma samambaia que pendia de uma prateleira perto da gente.

— Ainda estudo em Connecticut, mas estou pensando em tirar uma folga. Não tenho certeza ainda.

— Sério? — falei, quando ele começou a se afastar, para dar queijo à outra mesa. — Você deveria...

Ele acenou, fazendo algum gesto estranho com a mão que não consegui interpretar, pantomima em retirada. Percebi que eu quase disse para ele ligar para Ashley, e pensei que foi melhor ele se afastar e não ter ouvido. Ela mal conseguia atender os telefonemas agora, muito menos encarar quaisquer explosões do seu passado.

Fiquei sentada, vendo Sumner trabalhando o tempo todo pelo restaurante, manejando seus moedores de queijo e pimenta como profissional, rindo e brincando de mesa em mesa, enquanto papai permanecia perdido com a conversa sobre esportes com o gigante do meu lado. Fiquei desejando ter dito algo mais importante, algo mais notável, na curta conversa que tive com o único namorado de Ashley que eu realmente curti.

Mais tarde, quando terminei a comida, fui procurar o banheiro e vi Sumner sentado em um aposento dos fundos, comendo e contando uma pilha de dinheiro. Ele acenou e abriu espaço para que eu sentasse, então eu me sentei.

— Então, diz aí o que rola com você — Sumner falou, arrumando a pilha de notas por igual. — Além do fato de você estar alta e linda.

— Alta demais — respondi.

— Não. — Ele enrolou macarrão no garfo e o apontou para mim. — Você deveria ser grata por ser alta, Haven. As pessoas altas são reverenciadas e respeitadas neste mundo. Se você é baixo e atarracado, ninguém vai lhe dar nada.

— Não quero ser reverenciada — retruquei. — Só quero ser normal.

— Isso não existe. Acredite em mim. Mesmo as pessoas que você acha que são superóbvias, normais, têm algo que não está certo. — Enquanto dizia isso, uma garçonete alta com cabelos compridos e brilhantes passou por nós, piscando para Sumner. Ele esperou ela passar para que não ouvisse e depois comentou:

— Veja ela, por exemplo. Ela parece normal.

Eu a vi desaparecer pelas portas duplas perto do telefone público.

— Você está dizendo que ela não é?

— Não especificamente. Estou dizendo que ninguém é. Ela parece uma típica beleza loira, certo? Mas, na verdade... — Agora ele se inclinou mais perto de mim, compartilhando segredos. — Ela tem um dedo a mais no pé.

— Não pode ser — falei com firmeza.

— Juro por Deus, sério. — Ele voltou ao macarrão, mastigando. — Sandálias. Ontem mesmo. Eu mesmo vi.

— Então tá, tudo bem — respondi.

Ele assentiu com a cabeça.

— Bem, acho que aqueles dias de criança cheios de confiança acabaram, né? Você não confia mais em mim, como antigamente.

Observei papai conversando com Tony Trezzora, o rosto corado de algumas cervejas e uma boa sessão de papo com um cara.

— Não acredito em muitas coisas.

A garçonete com um dedo a mais passou novamente, lançando um sorriso enorme para Sumner, que retribuiu e apontou os pés dela. Fiquei sem graça e me concentrei na samambaia que pendia sobre nós.

— Então... — ele falou após alguns minutos. — Como está Ashley?

– Está bem – respondi. – Ela está para se casar.

Ele riu desajeitado.

– Está brincando?! Cara, nunca imaginei que ela fosse o tipo de casar cedo. Quem é?

– Um cara chamado Lewis Warsher. Ele trabalha no shopping. – Não sabia o que mais dizer sobre Lewis. Era difícil descrevê-lo para estranhos. – Tem um Chevette – acabei falando.

Sumner fez que sim com a cabeça como se isso ajudasse.

– Ashley Warsher. Parece que você está com um monte de bolinhas de gude na boca quando diz isso.

– Ele é legal – prossegui. – Só que agora Ashley está um horror porque o casamento está próximo, e tudo dá errado.

– Ashley está se casando... – ele falou vagarosamente, como se fosse um idioma diferente e não tivesse certeza de onde os acentos caíam. – Caramba, isso fez eu me sentir um velho.

– Você não é velho – retruquei.

– Quantos anos você tem agora?

– Quinze. – respondi, depois acrescentei: – Vou fazer dezesseis em novembro.

Ele suspirou, balançando a cabeça.

– Estou velho. Sou antigo. Se você está com quinze, sou idoso. A pequenina Haven. Com quinze anos.

Papai me procurava agora, percebendo que eu tinha sumido por mais tempo que deveria para ir ao banheiro. Tony Trezzora, impassível, continuava a falar.

Levei Sumner para a mesa comigo, e quando aparecemos, papai sorriu e disse:

– Ah, estava começando a achar que tinha levado um bolo.

– Papai, você se lembra de Sumner? – falei, e Sumner estendeu a mão enquanto papai se levantava para cumprimentá-lo. – Ele namorava a Ashley.

— Sumner, como está? — papai falou com energia, apertando a mão de Sumner com a mão enorme. — O que anda fazendo ultimamente?

— Estou na escola no norte — Sumner respondeu, quando papai finalmente soltou a mão dele. Papai acreditava no poder de um aperto de mão forte e masculino. — Mas tranquei por um semestre. Para trabalhar e dar uma folga da escola.

— Não há nada de errado nisso — papai falou com firmeza, como se alguém tivesse dito que havia. — Às vezes, o trabalho é o melhor aprendizado que se pode ter.

— Pura verdade — Tony Trezzora acrescentou.

— Bem, eu preciso ir — Sumner falou. — Meu próximo turno começa em uns quinze minutos.

— Aqui? — perguntei.

— Não, no meu outro emprego — respondeu ele. — Em outro dos meus empregos.

— Há uma ética de trabalho — papai observou. — Se cuida, Sumner.

— Bom vê-lo novamente, senhor McPhail. — Ele se virou para mim enquanto papai se sentava de volta para sua comida agora fria. Tony Trezzora se desculpou e desapareceu no bar, provavelmente em busca de outro público. Sumner falou: — É bom ver você de novo, Haven. Diga a Ashley... bem, se tiver oportunidade, diga que eu perguntei sobre ela. E parabéns. Pelo casamento.

— Vou dizer — respondi. — Sei que ela gostaria de vê-lo. — Eu não sabia de nada, mas pareceu ser a coisa certa a dizer.

Ele sorriu.

— Talvez não. Mas tudo bem. Se cuida. Lembre-se do que eu falei. — Ele ergueu as sobrancelhas quando a garçonete de seis dedos passou novamente, com os cabelos loiros brilhando. — Vejo você por aí.

— Tchau, Sumner. — Eu o observei andando na direção da porta do restaurante e sair até a rua. Pensei em Virginia Beach e no passeio atrás do Fusquinha sob as estrelas, tantos verões atrás. Quando me sentei de volta com papai, eu poderia jurar ter ouvido o resfolegar leve do Fusca, a música tema, sobressaindo no barulho e nas vozes misturadas do restaurante, assim como eu ouvi do lado de fora da minha janela naquela noite, há muito tempo.

No carro, a caminho de casa, olhei para papai, com os cabelos novos esvoaçando na brisa, e falei.

— Não foi ótimo ver Sumner de novo?

— Sabe, não me lembro direito qual deles era o Sumner. Era o jogador de futebol?

— Pai! — Olhei para ele. — Não acredito que você não se lembra dele. Você gostava dele, de verdade.

— Ah, querida, eu gostei de todos eles. Era preciso. — Ele riu, pegando o caminho para nosso bairro, rápido o suficiente para cantar os pneus um pouquinho. Mamãe dizia que sua placa de carro personalizada não deveria ser MAC, como era, mas CRISE DE MEIA-IDADE. Tentei dizer que eram letras demais, que só era possível ter oito, mas ela comentou que esse não era o ponto. Ele acrescentou:

— Eles estão todos juntos na minha cabeça agora. Eram tantos...

— Sumner era diferente — retruquei. — Ele foi para Virginia Beach conosco, lembra? Quando você cobriu o torneio de golfe e ficamos naquele hotel legal?

Ele apertou os olhos como se fizesse grande esforço para voltar no tempo. Então disse rapidamente:

— Ah, sim. Eu me lembro disso. Ele era um cara legal.

Isso foi tudo que papai, com sua memória seletiva, escolheu lembrar. Ele ficava receoso sempre que eu falava do passado, de nossas férias, de nossos eventos familiares. Estava ansioso para recomeçar: esposa nova em folha, casa nova em folha, lembranças novas em folha, o velho cuidadosamente escondido.

Paramos na entrada da garagem, bem ao lado do Chevette de Lewis, estacionado com o motor desligado, e Ashley e ele ainda dentro. Quando nos movimentamos ao lado deles, Ashley deu uma olhada com uma cara feia que me dizia que eles estavam brigando e que era melhor e eu não me intrometer. Infelizmente, papai não tem experiência em ler as expressões da minha irmã: ele acenou para ela. Ela apenas olhou para ele, e Lewis se afundou ao lado dela.

— Eles estão brigando — expliquei. — Obrigada pelo jantar.

Papai suspirou e colou a marcha ré no carro.

— Até a semana que vem. — Ele beijou o meu rosto quando eu me inclinei. Esperei um instante pelo que eu sabia que viria em seguida. — Está precisando de dinheiro?

— Não, tudo bem. — Eu nunca aceitava nada, mesmo quando eu realmente precisava. Ashley sempre *dizia* que ela não podia pegar nada, embora tivesse sido um mês difícil e o cartão de crédito dela estivesse atrasado... bem, tudo bem, só desta vez. Ela cultivava isso como uma arte. Eu me sentiria estranha em pegar o dinheiro do bolso de papai, vinte dólares aqui ou ali para compensar a sua ausência diária. Além disso, eu tinha os meus quatro dólares e um quarto por hora na Little Feet; não era grande coisa, mas o suficiente para eu me virar. Seria ótimo ter um pouco mais, mas, sempre que eu me sentia tentada, pensava no rosto de mamãe e dizia não. O arreio, que esticava além de mamãe e fora de casa, estava sempre atado, e eu sempre me preocupava sobre onde ficavam minhas obrigações.

Fiquei na entrada enquanto papai saía, buzinando duas vezes, aquele bi-bi! alegre enquanto ele sumia da vista. Comecei a andar na direção da porta, a voz de Ashley ainda audível, agora sem o barulho do carro de papai.

– Lewis, não é essa a questão. O problema é que você não fez nada para parar. – Eu reconhecia o tom, os finais entrecortados no final de cada palavra, como se falando direto para uma parede. – Eu só pensei que você nunca agiria daquela forma. Pensei que você fosse me defender.

– Amor, não acho que foi tão ruim quanto você faz parecer. Eles só estavam dando a opinião deles. Não tinham a intenção de fazer algum tipo de ataque.

– Bem, Lewis, se você não consegue ver por que eu fiquei tão chateada com aquilo, então suponho que não posso esperar que você entenda por que me incomodou você não tomar a iniciativa que eu pensei que você, como meu noivo, poderia tomar.

Um silêncio, apenas as cigarras cantavam, e a televisão de nossos vizinhos do lado, os Benson, tocava a música tema de *A feiticeira*. Fui andando até sumir de vista na varanda, depois tirei os sapatos e fiquei sentada nos degraus.

– Bem – Ashley falou com o tipo de ponto final que ela usava sempre que brigávamos e ela estava se aprontando para sair da sala –, acho que não podemos discutir isso por mais tempo. É um lado seu que não conhecia até hoje, Lewis.

– Ashley, pelo amor de Deus. – Eu me retesei. – Entendo que você não estava com humor para ouvir as colocações deles, mas eles são minha família, com defeitos ou não, e não vou ficar sentado aqui e falar que são um lixo só para você ficar se sentindo melhor. Não vou. – Parecia que Lewis finalmente estava criando coragem, bem lá, dentro do Chevette.

Esperei ver um relâmpago disparar, estrelas caírem do céu, a Terra tremer e ruir na sua essência, mas, em vez disso, apenas ouvi a batida da porta do carro, e Ashley dizendo:

— Então não há mais nada a discutir. Não estou a fim de ficar com você agora. Na verdade, não sei quando vou estar a fim de ficar com você de novo, Lewis.

— Ashley. — E foi assim, bem quando ela vinha subindo pela calçada, o choramingo melancólico: Lewis perdeu sua coragem e retornou ao seu antigo eu. Mas era tarde demais. Ashley estava de mau humor, e ele teria que sobreviver a isso, gostasse ou não, como o resto de nós.

Ela veio batendo os pés nos degraus, viu-me e parou por um tempinho só para me lançar um olhar furioso. Estava usando o vestido sagrado, que, à luz da varanda, parecia estar quase brilhando. Atirou os sapatos para o extremo oposto da varanda e subiu no balanço, que fez um barulhão quando as correntes bateram antes de se colocarem em um movimento suave e lindo para frente e para trás. Lewis ainda estava na entrada, esperando no carro.

— O que foi? — perguntei, após alguns sólidos minutos de seus suspiros pesados, que se sobrepuseram ao latido ocasional do cachorro dos Weaver do outro lado da rua, um cachorrinho salsicha gordo que latia com som de pato. Havia algo de errado nele, algum tipo de problema vocal. Papai o chamava de Pato--cão, o que deixava a senhora Weaver chateada. Ela gostava de colocar blusinhas de lã e galochas nele quando chovia.

Ahley se inclinou para trás ainda mais no balanço e esperou um instante antes de responder, como se não tivesse certeza de que valeria a pena.

— Eles me odeiam — falou simplesmente. — Todos eles se uniram contra mim quando começamos a falar sobre o bufê, e eles todos me odeiam.

O Chevette foi ligado agora, suavemente, e pensei se Lewis realmente iria embora. Eu o imaginei sentado a noite toda na entrada da garagem, dormindo empertigado em vez de sair zangado. Mas lá estava ele, saindo para a rua com uma longa pausa diante da casa, antes de partir.

— Tenho certeza de que eles não a odeiam — falei, igualzinho a mamãe, que estava ocupada demais dançando com homens de meia-idade no Holiday Inn para estar aqui na última crise.

— Tudo que eu disse é que não achava que era preciso discutir com o bufê por causa de salmão. Que se havia tanto problema, ficaríamos com o frango. Então, eu acho que neste ponto eu preciso escolher no que preciso insistir, certo? Mas apenas à menção da questão do salmão, a mesa toda olhou para mim e a senhora Warsher diz: "Se você queria salmão, você deveria ter insistido. O bufê trabalha para você e não o contrário". — A voz dela era alta e nasal, com desprezo. Ela ainda estava com muita raiva.

— Você brigou com a família dele por causa de salmão? — Agora que eu sabia que o centro da discussão era peixe, pareceu menos excitante. Eu esperava algo maior, algo envolvendo sexo ou religião, pelo menos.

— Ah, não, não apenas o salmão. Lewis também resolveu falar sobre a Carol. Ah, e os convites e como a gráfica se esqueceu de colocar a data da primeira vez. Isso sem contar o que ele disse sobre papai.

— Papai! E o que ele falou?

— Bem, eles perguntaram... — Ela sacudiu a mão, procurando resumir o que seria uma explicação longa demais. — ... sobre a família e tal, e Lewis falou do divórcio, até aí tudo bem, mas então ele discorreu sobre todas as coisas de Lorna, a estação de TV e como ela é a garota do tempo e papai comentarista esportivo etecetera e tal. Foi demais.

— Bem, Ash, é verdade — falei. — Por mais constrangedor que seja...

— Mas ele fez parecer tão horrível. Então, todos da família de Lewis estão reunidos ao redor da mesa, e ele está falando sobre papai e Lorna, e eu só posso imaginar o que eles pensarão quando souberem de mamãe saindo para dançar com Lydia Catrell. Aquelas pessoas vão à igreja, Haven.

— E daí? Isso não faz com que eles sejam melhores que você.

Ela suspirou, soltando ar quente na franja.

— Você não entende. Você não tem ninguém a quem precisa impressionar agora. Vai ser diferente quando ficar mais velha. O que uma família reflete em você é muita coisa, especialmente quando é tão complicada como a nossa.

— Muitas pessoas se divorciam, Ash — respondi. — Não é só a gente.

Ela saiu do balanço, deixando-o sacudindo atrás dela. Se retesou para alcançar a beira da trave e balançou o peso do corpo nas palmas das mãos com o vestido sagrado, transparente, soprando pelas pernas. Os cabelos lhe caíam sobre o rosto, escondendo a boca enquanto dizia:

— Eu sei, Haven. Mas ninguém mais tem nossos pais.

Um carro explodiu na rua, o rádio à toda; um cigarro bateu na calçada com uma chuva de faíscas. Então tudo ficou silencioso de novo, exceto pelos latidos de Pato-cão.

— Eu vi Sumner hoje. — falei baixinho.

— Quem? — Ela ainda balançava, os pés suspensos.

— Sumner.
— Sumner Lee?
— É.
Uma pausa, depois ela se endireitou e arrumou os cabelos para trás.
— Sério? O que ele disse?
— Falamos só um pouquinho. Ele perguntou de você.
— É? — A voz dela era indiferente. — Bem, legal.
— Ele está trabalhando no Vengo — prossegui. — E em outro lugar também.
— O que ele está fazendo na cidade? Pensei que estivesse na faculdade.
— Ele está pensando em dar um tempo.
— Em desistir?
— Não — falei vagarosamente. — Só dar um tempo e, na verdade, ele não decidiu ainda. — Eu estava começando a me arrepender de ter mencionado isso. Ashley tinha um jeito de pegar tudo o que era bom e estragar.
— Puxa, parece mesmo o Sumner — ela falou, desdenhando. — Ele nunca foi muito ambicioso.
— Ele me pediu para dar os parabéns para você — respondi, de repente, com vontade de manter a conversa. Ela não precisava ser tão desagradável. — Ele deseja o melhor para você.
— Legal. — Ela já estava entediada. Foi até a porta, buscando a maçaneta. — Se Lewis ligar, diga que estou dormindo. Não estou a fim de conversar com ninguém agora.
— Ashley.
Ela se virou, já com a porta aberta.
— O quê?
— Ele estava realmente feliz por você. — Ela estava com aquele olhar no rosto, como se eu estivesse desperdiçando o

tempo tão tarde da noite. – Pensei... Pensei que você reagiria diferente.

Ela balançou a cabeça, entrando.

– Haven, vou me casar em menos de um mês. Não tenho tempo para ficar pensando em namorados antigos. Não tenho tempo nem de pensar em mim.

– Fiquei muito contente em vê-lo – continuei.

– Você não o conheceu como eu o conheci. – Ela esfregou um pé no outro, naquele gesto clássico de Ashley. – Diga para o Lewis que estou dormindo, tá?

– Tudo bem.

Agora eu deixaria tudo quieto, assim como aprendi a deixar todas as coisas quietas que trouxessem aquela voz cansada e o gesto impaciente de minha irmã. Ficar de bem com ela ainda era importante para mim. Me sentei na varanda durante muito tempo, sem certeza de saber o que esperava. Não o sedã de luxo, que só voltou para casa com mamãe enfiada dentro, a salvo, muito mais tarde, quando eu finalmente estava semiadormecida, tentando me manter lúcida até ouvir a chave na fechadura. Não pela ligação de Lewis que veio e que eu deixei tocar e tocar, muito depois de Ashley fingir estar dormindo ou de realmente ter adormecido. Havia a hora de esperar, mesmo que eu não tivesse certeza do que esperar. Ainda era verão, pelo menos, por um tempo.

Capítulo Seis

Houve duas novidades na primeira semana de agosto em nosso bairro. Uma foi pequena, não muito importante para ninguém exceto pra mim. E uma que era grande.

A pequena é a volta da minha melhor amiga, Casey Melvin, do acampamento 4-H, onde ela ficou a maior parte do verão, deixando que os garotos levantassem a blusa dela e escrevendo longas cartas dramáticas com canetinhas mágicas pink, seladas com um beijo de batom. Ela voltou mais gordinha, mais bonita, e usava uma camiseta verde que pertencia a seu novo namorado de longa distância, um cara de dezessete anos de Hershey, Pensilvânia, chamado Rick. Ela tinha muito para me contar.

— Meu Deus, Haven, você ia morrer se o conhecesse. Ele é muito mais bonito que qualquer carinha daqui. — Estávamos no quarto dela, bebendo Coca-Cola e vendo o que pareciam dezoito pacotes de fotos, algumas enormes, todas de pessoas sorrindo, posando diante de chalés de troncos de madeira, lagos e ocasionais bandeiras. Eles tinham que saudar a bandeira três vezes ao dia, parece. Esta parecia ser a única atividade que envolvia o 4-H, pelo menos para Casey. Em apenas um mês e meio desde sua partida, ela tinha se tornado o que mamãe chamaria educadamente de "madura".

Havia pelo menos vinte fotos de Rick na pequena pilha que eu já tinha visto, metade delas apresentava partes isoladas de Rick. Ele *era* bonito, mas não deslumbrante. Casey estava deitada de barriga ao meu lado, fornecendo o nome de todos.

— Ah, essa daí de camisa vermelha é a Lucy. Ela era tão maluca, nossa! Estava saindo com um dos conselheiros... um cara da faculdade! Foi enviada para casa na terceira semana. Foi péssimo, porque ela era muito divertida. Ela fazia qualquer coisa se você duvidasse.

— Duvidasse? — falei.

— É. — Ela se sentou, enfiando outra pilha de fotos nas minhas mãos. — Rick me ligou na noite passada, dá pra acreditar? Interurbano. Ele disse que sente saudades de mim e que pela primeira vez na vida ele quer ir ao acampamento. Mas só vou lá no feriado de Ação de Graças; já pedimos aos nossos pais e tudo. Mas isso é daqui a quatro meses. Acho que vou morrer se não vê-lo por quatro meses.

Observei minha melhor amiga, louca por um cara, enquanto ela rolava na cama agarrada à pilha de fotos de Rick no peito. Às vezes, o amor pode ser uma coisa ruim.

— Então, o que eu andei perdendo aqui?

Ergui os ombros, tomando outro gole da Coca.

— Nada, papai se casou, mas é tudo.

— Como foi o casamento? Foi horrível?

— Não — respondi, mas fiquei contente por ela ter perguntado. Apenas sua melhor amiga sabe quando perguntar esse tipo de coisa. — Foi estranho. E Ashley está praticamente psicótica com o casamento tão próximo. Mamãe vai para a Europa no outono com Lydia.

— Lydia? Por quanto tempo?

— Meses, acho. Bastante tempo.

— Nossa! — Ela tirou os cabelos do rosto. Casey era ruiva, na verdade, cabelos alaranjados, com aquele tipo de cabelo cor de abóbora, acobreado. Quando pequena, ela tinha montes de sardas, que felizmente desapareceram quando ela ficou mais velha, mas o cabelo ficou praticamente não gerenciável, um escovão com cachos indomados alaranjados. — Ei, com quem você vai ficar quando ela estiver viajando?

— Não sei. Não conversamos sobre o assunto ainda.

— Legal, a casa toda para você! Cara, vai ser ótimo. Podemos fazer uma festa ou algo do tipo.

— Sim. Qualquer coisa. — Joguei as fotos de volta para ela, todos os rostos estranhos caindo juntos. Eu não conhecia aquelas pessoas. Era como todo um mundo novo em um idioma diferente.

Ela se levantou e pôs as fotos na escrivaninha, depois deu um puxão no colete, cujas franjas penduradas iam até as costas de suas pernas. De repente se virou e falou:

— Puxa, não acredito que eu me esqueci de contar.

— Me contar o quê?

— Sobre Gwendolyn Rogers. — Ela saltou sobre a cama, balançando-a tanto que a cabeceira bateu na parede. Casey estava sempre voando ou atropelando as coisas. Papai a chamava de o dervixe rodopiante.

— O que tem ela? — Eu ainda retinha aquela imagem de Gwendolyn andando com o cachorro, a corrente esticada até sua mão.

— Ela voltou. Está em casa — ela falou de modo sinistro (eu sempre podia dizer quando algo grande estava para vir) —, pois teve uma crise nervosa. — Ela recostou-se, meneando a cabeça.

— Você está brincando.

— A mãe dela é amiga da senhora Oliver, que está no grupo de caminhada de mamãe e que jurou segredo, mas não conseguiu ficar quieta, então contou para todo mundo, mas fez com que todos jurassem não passar o segredo adiante.

— Daí, sua mãe lhe contou?

— Ela não me contou. Ela falou para a senhora Caster, nossa vizinha, e eu ouvi, pois estava do lado de fora no telhado, fumando. Eles nunca pensam em olhar para cima.

— Agora você fuma?

— Fumo desde o começo do verão. Queria desistir, mas é tão difícil. Quer um? — Ela riu.

— Não — respondi, ainda tentando assimilar todas essas informações novas. — Por que ela teria uma crise nervosa?

— Porque... — ela foi até a cômoda, tentando caçar lá no fundo, junto com as malhas que ela nunca usava, um maço de cigarros amassado e alguns fósforos — ela ficou muito decepcionada com um homem. E com a indústria da moda. É uma vida dura para uma garota de cidade pequena, Haven.

Algo me dizia que aquelas não eram as palavras dela.

— Que homem?

— Um fotógrafo. Ele tirou todas as fotos dela que vimos na *Cosmo*, sabe, aquelas com uma malha apertada vermelha que mostrava os bicos do seio. – Ela tirou um cigarro e colocou na boca, depois o tirou. – Ela ia se casar com ele, mas depois o pegou na cama com uma garota de dezesseis anos.

– Nossa!

– E outro homem – ela acrescentou com floreios, enfiando o cigarro de volta à boca. – Dá para imaginar?

– É horrível – falei. Eu me senti culpada ao saber disso sobre uma estranha, alguma pobrezinha que não sabia nenhum segredo vergonhoso sobre mim. Com a boca da senhora Melvin, isso já deveria ter se espalhado por todo o bairro agora.

– Ela veio de avião na sexta passada, e a senhora Oliver disse que ela foi direto para a cama no seu quarto antigo e dormiu por quarenta horas seguidas. A pobre senhora Rogers pensou que ela estava morrendo de alguma doença horrível, pois Gwendolyn não dizia o que havia de errado ou por que ela tinha voltado para casa, nem nada. – Ela se esticou e abriu a janela, depois acendeu um fósforo e tocou-o na ponta do cigarro. – Ela acordou às quatro da manhã e fez panquecas, e quando a senhora Rogers desceu para ver o que estava acontecendo, foi que Gwendolyn contou tudo. Em pé diante do fogão, virando panquecas às quatro da manhã e contando esta história terrível. Ela comeu dez panquecas e explodiu em lágrimas, e a mãe disse que ela está perdida e não sabe o que fazer. E desde então, segundo a senhora Oliver, Gwendolyn não disse uma palavra.

– Dez panquecas? – me espantei. Isto, para mim, era a parte mais inacreditável desta história.

– Haven, tenha dó. – Casey odiava quando alguém tentava fazer pouco de qualquer história que ela estivesse contando. – Foi quando Gwendolyn começou a caminhar.

– Caminhar?

Ela tragou o cigarro, depois soprou a fumaça para fora da janela, que rodopiou até o telhado e depois até o céu.

– Ela caminha a noite toda, Haven, pelo bairro. Ela não consegue, ou não quer, dormir, e a senhora Oliver diz que ela parece um fantasma passando pela calçada, de pernas longas e aparência estranha. A noite toda.

De repente, tive arrepios, do tipo que se tem durante o clímax de uma boa história de fantasmas, quando você percebe que o roçar no telhado é a mão desencarnada ou que é a fita que segura a cabeça. Eu podia ver Gwendolyn trotando por aí com as pernas magras, lançando uma sombra gigante sobre os gramados verdes de nossa vizinhança. Gwendolyn Rogers, supermodelo, caminhando perdida entre as ruas da infância dela e da minha.

– É de meter medo, hein? – Casey falou, tragando o cigarro e jogando a fumaça lá fora. – Mamãe diz que aposta que a profissão enlouqueceu Gwendolyn. É uma indústria terrível, você sabe.

– Você é que diz. – Pensei nas Modelos Lakeview com seus *scarpins* e camisetas combinando, posando diante de folhas falsas gigantescas; e em Gwendolyn, o orgulho e alegria da cidade, andando enlouquecida pelas ruas.

– Logo vai estar em todos os jornais e na revista *People* – continuou ela, agitando a mão diante do rosto para espantar a fumaça. – Já viu, né, é manchete quando alguém tão famosa quanto Gwendolyn fica maluca.

– É tão triste – repeti. Se até a supermodelo e a garota linda da cidade Gwendolyn Rogers podia ter uma crise e ruir, o que seria de mim... ou de qualquer outra pessoa? Publicaram um perfil dela em uma das revistas de Casey, *Teen World*, há poucos meses, compartilhando seus Maiores Segredos: sua comida preferida (pizza), banda (R.E.M.) e segredo de beleza (pepino sobre os olhos para reduzir o inchaço após longos dias de sessão de fotos). Nós sabíamos dessas coisas, assim como sabíamos sobre a vida de várias outras supermodelos. Meninas que poderiam ser nossas amigas, ou nossas vizinhas, tantos eram os detalhes a respeito delas guardados em nossas memórias. Assim como Gwendolyn, supermodelo e garota de Lakeview, alta como eu, já tinha sido.

– Casey! – Houve uma batida súbita na porta e a senhora Melvin, com o sotaque pesado de Nova York que sempre a fazia parecer irritada, mesmo quando não estava, ecoou pela parede – Está na hora do jantar, e é sua vez de arrumar a mesa. Haven está convidada se quiser.

– Já vai – Casey gritou, jogando o cigarro para fora da janela, que rolou até a calha e botou fogo em um punhado de folhas secas de pinheiro. Casey, ocupada em espalhar perfume White Shoulders pelo quarto, não percebeu.

– Casey – sussurrei, apontando a janela, para a pequena chama. – Olhe!

– Agora não – ela falou ríspida, com a voz baixa, ainda agitando os braços. – Puxa, Haven, me ajude.

– Espere – falei baixinho, me levantando e indo até a janela. – Não abra a porta ainda.

– Você está sentindo o cheiro? – perguntou ela, girando pelo quarto. – Está?

– Não, mas...

A senhora Melvin bateu novamente, com mais força.

– Casey, abra a porta.

– Já vai, já vai, um instante. – Ela colocou o perfume sobre a cômoda e foi até a porta, passando pela janela sem perceber as chamas ardendo na calha. Destrancou a porta.

— Puxa, entre, então.

Quando a senhora Melvin entrou, eu estava recostada na janela, tentando parecer inocente com a Coca-Cola na mão e tentando não tossir enquanto a espessa nuvem de White Shoulders pairava sobre mim. Ela deu um passo, estancou perto na soleira e deu duas fungadas curtas no ar. Ela era uma mulher pequena, como Casey, com o mesmo tipo de cabelos ruivos, só que os dela estavam penteados em mechas, com as pontas se curvando graciosamente para dentro, perto dos ombros. Usava calça de montaria e uma camisa comprida branca, com enormes argolas de ouro penduradas nas orelhas. Como sempre, seu delineador chamou a minha atenção em seguida, preto-ônix, espesso nas pálpebras superiores e inferiores, arqueando-se sobre os olhos em um desenho cuidadoso e elaborado que a fazia parecer um gato. Deveria ser preciso meio pote de creme para retirá-lo e era um pouco exagerado, especialmente em nosso bairro, mas era sua marca registrada. Aquilo e seu incrível olfato.

Ela fungou novamente, com os olhos fechados, depois os abriu e falou diretamente:

— Você andou fumando.

Casey ficou vermelha.

— Não.

Olhei para fora pela janela. O fogo ainda ardia, parecia que poderia se espalhar para um monte de folhas nas proximidades. Eu tinha que fazer alguma coisa. Então, quando a senhora Melvin cruzou o quarto, com os olhos fechados novamente, e ainda aspirando o ar, entrei em pânico e atirei o resto da Coca-Cola pela janela. A maior parte bateu no vidro se espalhando, mas ainda bem que parte chegou à beira da calha e, de alguma forma, milagrosamente, amainou o fogo. Pensei que estivéssemos livres, até que me virei para olhar a senhora Melvin, com as mãos nos quadris, me encarando. Pouco atrás dela estava Casey, que atirou as mãos para cima e balançou a cabeça, rendendo-se.

– Sim, isso mesmo – prosseguiu ela, passando na minha frente para abrir a janela e espiando a calha em fogo. – Olhe só isso. Você está provocando incêndios e ainda mentindo na minha cara.

– Mãe! – Casey falou rapidamente. – Eu não...

A senhora Melvin foi até a porta.

– Jake, venha cá. – Educação, no lar dos Melvin, era uma questão coletiva. Qualquer conflito precisava ser lidado em conjunto, atacado dos dois flancos. Ouvi o senhor Melvin com passos pesados nos degraus, antes de aparecer na porta, de jeans e pantufas. Papai chamava o senhor Melvin de consumado garoto de fraternidade. Ele tinha quarenta e três anos, mas parecia ter dezoito, e era tão escravo como qualquer homem pode ser. Um olhar, um chamado da senhora Melvin, e ele já estava lá.

– O que está acontecendo? – Ele estava com o jornal nas mãos. – Oi, Haven. Tudo bem?

– Tudo – respondi.

– Estamos com um problema aqui – a senhora Melvin falou, dirigindo a atenção dele para fora da janela, para a calha que ainda soltava um pouco de fumaça e que, portanto, provocava o efeito dramático necessário. – Sua filha foi pega fumando.

– Fumando? – Ele olhou para Casey, depois para a janela. – Alguma coisa está pegando fogo lá fora?

– É culpa do acampamento 4-H, Jake, onde ela pegou tudo quanto é mau hábito neste verão. – A senhora Melvin foi até a cômoda, abriu a caixa em cima, retirando o maço de cigarros. – Olhe só isso. Talvez haja pílulas lá dentro também.

– Mãe, por favor. – Casey falou. – Ainda não transei.

— Haven — a senhora Melvin falou baixinho —, talvez seja melhor você voltar para sua casa para jantar.

— Sim — respondi. Era sempre assim que eu parecia sair da casa dos Melvin, sob algum tipo de coerção. As coisas eram sempre movimentadas naquela casa. Durante o divórcio, passei a maior parte do tempo lá, sentada na cama de Casey, lendo a revista *Teen* e ouvindo brigas e problemas que felizmente não tinham nadica de nada a ver com o meu mundo.

A caminho da porta vi o irmão de Casey, Ronald, na varanda, acariciando o gato dos Melvin, um macho enorme e gordo chamado Velvet. Ronald só tinha cinco anos, nem era nascido quando conheci Casey no dia em que nos mudamos de Nova Jersey há tantos anos.

— Oi, bebê Ronald — falei.

— Cale a boca. — Agora ele odiava o apelido da família. Aos cinco anos, ele estava começando a ter rancor de qualquer palavra com "bebê" associada a ela.

— Tchau.

— Haven? — Ele me chamou. — Como você cresce tanto?

Parei na frente da calçada, olhando para aquele chocado Melvin de cabelos vermelhos com colete de jeans, e o gato soltando uma nuvem de pelos ao redor.

— Não sei, Ronald.

Ele pensou por um minuto, ainda acariciando o animal. Ele tinha sardas no rosto todo, mais que as que Casey perdeu assim que fez catorze anos.

— Legumes — ele falou devagar, pronunciando com cuidado. Depois acrescentou: — Provavelmente.

— Isso. — Cheguei até a calçada em passos largos, passando por cento e catorze quadrados de cimento, com rachaduras e tudo, que me conduziram até a minha própria entrada. — Provavelmente.

Vi Sumner novamente mais tarde naquela semana no shopping, durante o meu intervalo da noite na Little Feet. Fora uma noite longa, muitos sapatos minúsculos para colocar em pés com chulé, pressão demais para movimentar as meias, sempre as meias. Comprei uma Coca-Cola e me sentei na frente do palco diante da Dillard's, agora com sua decoração de outono completa, folhas grandes das cores mais variadas, com silhuetas negras de garotas glamurosas intercaladas. Estava estudando o sinal do palco central, que dizia PRÉVIA DA MODA DE OUTONO! APRESENTANDO... AS MODELOS DO SHOPPING LAKEVIEW E A MODA DE SUAS LOJAS PREFERIDAS... EM BREVE!, com um calendário de arrancar os dias fazendo contagem regressiva, como se alguém estivesse muito animado com aquilo.

Eram quase oito horas, o que significava que eu tinha mais uma hora de Little Feet antes de poder sair. O shopping estava mais livre agora que era o horário nobre da televisão; joguei meu copo fora e voltava para a loja quando vi o carrinho de golfe vindo hesitante no meu caminho. A buzina apitava. Alta.

Ele zuniu bem na minha frente, desviando de samambaias, dos bancos e da fonte, derrapando até uma parada triunfal. Sumner, o Cara da Segurança do Shopping Lakeview. O uniforme era grande demais, enrolado nos punhos, e seu crachá dizia Marvin. Ele sorria para mim.

— Oi. Quer uma carona? — Ele estendeu um braço sobre o assento do passageiro, no melhor estilo de "Vale muito a pena".

— É melhor que andar.

— Você pode transportar as pessoas por aí? — perguntei. Com certeza nunca vira Ned, o outro guarda, levando as pessoas para cima e para baixo no shopping.

— Não. — Ele sorriu. — Mas você me conhece, Haven. Eu o chamo de minha Carruagem do Amor. Agora suba.

Então subi. Ele esperou até eu me acomodar, depois virou, acelerou e disparamos para o centro do shopping com o Yogurt Paradise, Felice's Ladies Fashions e The Candy Shack zunindo em um borrão. Sumner ria, mal evitava obstáculos e pessoas, mas ainda conseguia fazer parecer oficial sempre que passávamos por qualquer pessoa que parecia ser importante.

— Se formos parados pela administração — gritou para mim, mais alto que o zumbido do motor à medida que explodíamos na frente da Little Feet e do meu chefe, que escolhia meias para alguém —, aja como se estivesse machucada. Diga que torceu o tornozelo, e que eu estou ajudando.

— Sumner — falei, mas ele não conseguiu me ouvir. Fizemos mais uma volta, desacelerando um pouco para o tour panorâmico.

Sumner apertava a buzina de vez em quando, dispersando grupos de adolescentes na frente do fliperama ou da pizzaria, até que finalmente recebeu sinal de uma mulher com um vestido florido, com uma criança a reboque.

— Pois não, senhora — disse Sumner, estacionando suavemente ao lado.

— Por favor, você sabe me dizer onde eu poderia comprar um abridor de cartas personalizado? — Ela tinha voz estridente, e o garoto babava.

Sumner se esticou para a parte de trás do veículo, tirou uma prancheta e analisou, concentrado.

— O melhor local é o Personally Personalized. — Ele tirou uma folha de papel da prancheta, desenhou uma longa e sinuosa seta sobre ela e disse — Veja o mapa. Estamos aqui. — Ele colocou uma marca preta em um ponto. — E ela está lá. — Outra marca. —

A senhora vai encontrá-la sem problemas. — Ele colocou a caneta de volta atrás da orelha enquanto entregava o papel, com um movimento suave.

— Obrigada — disse a mulher com admiração, com o mapa na mão. — Muito obrigada.

— De nada — respondeu Sumner. Esperei ele fazer uma saudação ou algo assim. — Boa noite e compre sempre conosco. — E lá fomos nós, manobrando suavemente por um emaranhado de vasos de plantas.

— Você nasceu para este trabalho — observei. Pegamos outro caminho para o palco, parando perto dos degraus laterais.

— Nasci para todos os trabalhos — respondeu ele, com um sorriso, saindo do carrinho para o palco. Ele andou até o cartaz ao centro, e estendeu a mão no calendário, tirando a folha de cima, para que ficassem apenas seis dias em vez de sete. Depois, ficou no centro do palco e fez uma longa mesura, abaixo da cintura e dramática, diante de um público adorável e invisível.

Após descer a escada, ele embarcou de volta ao meu lado e me entregou o sete.

— Para você.

— Muito obrigada.

— Então... — disse ele, gritando mais alto que o som do motor — Onde você trabalha?

— Na Little Feet. — Percebi como aquilo parecia idiota quando falei.

— Vendendo sapatos — falou, sorrindo. — Fiz isso durante um verão. É uma droga, hein?

— É mesmo. — O shopping estava repleto de novo, as vitrines e as pessoas cada vez mais borradas passando. Passeando com Sumner ao meu lado, o shopping era como um país desconhecido.

Ele sempre tinha um jeito de fazer até mesmo a coisa mais comum parecer divertida. Durante aquele verão na praia, ele permaneceu na água comigo quase todo o tempo, brincando com a prancha, plantando bananeira, mergulhando à procura de conchas e inventando jogos. Ashley passou a semana inteira na praia com a toalha e o protetor solar, se bronzeando, enquanto Sumner e eu nadávamos até nossos dedos ficarem enrugados e brancos. Ele era o único que tinha tempo para brincar comigo. Se Ashley ficava brava e criava caso quando ele tentava me incluir, ele costumava conseguir convencê-la. E quando ele não conseguia, e ela e eu brigávamos, ele tinha um jeito de ficar do meu lado sem parecer que ele a estivesse traindo. Ele me defendia, e eu nunca me esqueci disso.

À medida que ultrapassávamos a fonte, olhei para os cartazes enormes que pendiam do teto, cada um com um tema da comunidade: uma casa, uma escola, uma flor, um animal que parecia uma cabra, mas que percebi ser um veado. Tive uma vontade súbita e louca de subir no banco e rasgar cada um deles quando passamos. Quase podia sentir a ponta de meus dedos na tela lisa e brilhante e tentadora enquanto eu as arrancava da base. Disparando pelo Shopping Lakeview, desmantelando-os enquanto passava. Olhei para Sumner, pensando em quanta coisa havia mudado, com a visão dos cartazes ainda caindo sobre a minha cabeça. Eu quase quis lhe dizer, perguntar se ele sabia como era, de repente, cair na tentação de perder a cabeça. Mas estávamos voando, o motor abafava todos os outros sons, e eu deixei quieto, por enquanto.

Capítulo Sete

Após meu passeio de carrinho pelo shopping, parecia que eu me encontrava com Sumner em todos os cantos. Em parte, devido ao fato de ele ter tantos empregos. Além do homem da pimenta e do queijo e segurança do shopping, ele também cortava grama no cemitério e dirigia um ônibus escolar para crianças com deficiência mental. Sumner não acreditava em tempo ocioso.

Pensei que deveria ser o destino eu sempre esbarrar nele, algum sinal estranho de que ele deveria voltar para a minha vida e corrigir ou mudar algo, uma voz do passado que chega até o presente com as respostas para tudo. Sabia que isso era bobagem, mas era difícil ignorar a coincidência dos encontros com Sumner.

Lewis e Ashley continuavam a brigar e a se reconciliar quase que diariamente. O mau humor que ela tinha o hábito de impor exclusivamente à família agora era privilégio dele também. Conforme o casamento se aproximava cada vez mais, ele chegava à nossa porta como se Ashley fosse uma bomba e qualquer palavra, elogio, ou mesmo expressão errada, poderia fazer tudo explodir. Mamãe e eu sentíamos pena dele silenciosamente, vendo-o subir as escadas para o quarto de Ashley como um soldado partindo para a batalha. Eu me vi gostando mais de Lewis agora que ele sofria como a gente. Eu imaginava que era assim que as vítimas de crises se ligavam, unidos pelo impensável.

Agora faltavam exatamente duas semanas para o casamento. Listas de mamãe tomaram nossa casa, post-its amarelos pendiam de qualquer coisa que estivesse parada e que fosse grande o suficiente para segurá-los. Eles forravam o corrimão, chamando a minha atenção quando eu subia as escadas. Pendiam da geladeira e da televisão, lembretes de última hora, coisas que não poderiam ser esquecidas. Eram como avisos de advertência, sinalizando e prevenindo para ir com cuidado até o próximo turno. O casamento, sendo produzido em nossa casa tanto tempo em um padrão estável, estava começando a chicotear em uma tempestade.

— Onde está o outro pacote de cartões de agradecimento? — Ouvi Ashley dizer da cozinha quando eu saía do banho certa manhã. — Eu preciso mais do que apenas os seis que sobraram neste pacote.

— Bem, eu coloquei na mesma gaveta — respondeu mamãe, seus sapatos fazendo um barulho arrastado pelo chão enquanto ela saía em busca dos cartões. — Eles não podem ter andado por aí sozinhos.

— Claro que não... — Ashley resmungou baixinho, o mesmo grunhido constante e incoerente em sua voz, que eu parecia ouvir atrás de mim sempre que estava no lugar errado, na hora errada.

Ouvi mamãe voltar e puxar uma cadeira.

— Aqui estão — disse ela na sua voz cantada, de paz. — Eu trouxe esta lista e podemos repassar o que precisa ser feito hoje.

— Ótimo.

— Tudo bem — disse mamãe, e houve um ruído de plástico se rasgando que concluí ser Ashley abrindo o pacote dos cartões novos. — Primeiro, há o ajuste final na Dillard's, hoje às dez. Sei que Haven trocou os turnos para poder estar lá, e eu liguei esta manhã para ver se os enfeites de cabeça estavam realmente prontos.

— Ela provavelmente cresceu mais de um metro, e vamos ter que ajustar tudo de novo — Ashley resmungou, e eu olhei para mim no espelho do banheiro, através do vapor. Eu já estava quase mais alta que o espelho, o topo da minha cabeça mal cabia dentro da moldura. Eu me examinei, a geometria das minhas costelas, cotovelos e clavícula. Imaginei linhas se cruzando, planos indo longe, cada vez mais longe. Meus braços eram compridos, magros e finos, e meus joelhos eram dobradiças que juntavam as partes ossudas das pernas magras. Eu era angulosa para qualquer um que se encostasse a mim.

— Ashley, você sabe que sua irmã é sensível sobre a altura. — Isso era o máximo que mamãe fazia para chamar a atenção de Ashley, que tinha idade suficiente para não precisar disso. — Imagine ter quinze anos e estar com quase um metro e oitenta e cinco. É muito difícil para ela, e comentários como esse não ajudam.

— Meu Deus, não estou dizendo isso na cara dela — Ashley esbravejou e me perguntei se todos os cartões de agradecimento e toda aquela gratidão estavam fazendo um efeito reverso, não deixando sobrar nenhuma delicadeza para qualquer um pessoalmente. – Além disso, ela vai ser feliz depois. Ela nunca vai engordar.

– Isso não é nenhum consolo agora. – Mamãe pigarreou.

– Depois dos ajustes, podemos fazer a nossa reunião final com o bufê. O gerente ligou ontem e disse que os aperitivos estão em ordem e que você só precisa tomar algumas decisões finais sobre sobremesas.

– Puxa, estou tão cansada de tomar decisões. – Uma pausa, durante a qual ouvi mamãe mexendo o café. – E de escrever estes malditos cartões de agradecimento. Alguém realmente acha que eu não sou grata pelo presente? É realmente necessário dizer por escrito?

– Sim, é – mamãe falou rispidamente, e eu me virei para olhar para a grade da ventilação enquanto as palavras subiam por ela, surpresa com a impaciência em sua voz. – Eu estava mesmo a fim de falar com você, Ashley, sobre seu comportamento recente em relação a esse casamento e àqueles que estão fazendo o seu melhor para torná-lo um sucesso.

– Mãe! – Ashley começou com aquela voz entediada. Pude quase vê-la acenando a mão, dispensando as palavras, mesmo enquanto mamãe as dizia.

– Não, você vai ouvir já. – Mamãe estava à toda agora, já que tinha começado. – Eu entendo que você está sob muita pressão e que é difícil ser uma noiva. Tudo bem. Mas isso não lhe dá direito de ser mal-educada, egoísta, insensível e geralmente desagradável comigo, Haven ou qualquer outra pessoa. Temos tido muita paciência com você, porque somos sua família e a amamos, mas pode parar por aí. Não me interessa se o casamento é daqui a duas semanas ou duas horas, você não foi educada para se comportar assim. Está me entendendo?

E foi assim... Fiquei parada nua, meus olhos fixos na grade de aço do respiradouro que transmitia as palavras de mamãe, claras como sinos, até os meus próprios ouvidos. Havia silêncio agora, apenas o som do rangido do ventilador de teto em círculos lentos.

Em seguida, um fungar. Outro. Um soluço e as comportas se abriram. Ashley chorava, sua resposta habitual para qualquer ataque justificado.

– Eu não queria fazer isso – ela começou. – É muito difícil, com meu trabalho e os Warsher e todo o planejamento, e às vezes eu só...

– Eu sei, eu sei – disse mamãe, depois de ter voltado para sua modalidade suave, liberando as tropas e deixando o confronto sossegar. – Eu só queria que você soubesse como isso está afetando todos os outros. Só isso.

Penteei os cabelos, passei desodorante e o delineador, e comecei a me aprontar para o trabalho enquanto o choro e as desculpas continuavam. No momento em que minha mãe gentilmente sugeriu que Ashley pedisse desculpas a mim por seu comportamento dos, bem, últimos quatro meses, eu estava completamente vestida e esperando na minha cama. Abri a porta quando ela bateu, tentando agir espontaneamente.

– Oi – falei, fazendo questão de não reparar nos olhos vermelhos e no lenço de papel amassado na mão dela. – E aí?

– Tudo bem – disse ela, encostando-se no batente da porta e esfregando um pé com o calcanhar do outro. – Mamãe e eu estávamos falando sobre como tudo tem sido maluco com o casamento e tudo mais, e eu quis subir e dizer que eu sinto muito se fui estúpida nos últimos tempos. Quero dizer que eu sinto muito por descontar tudo em você, você sabe, daquela vez.

— Ah. — Sentei-me na cama, balançando a cabeça. — Bem... Tudo bem.

— Estou falando sério, Haven. — Ela se aproximou e se sentou ao meu lado. — Me desculpe. É a última vez que nós vamos viver sob o mesmo teto e tenho sido um porre. Então, me desculpe.

— Tudo bem — respondi. — E isso aí é verdade.

— O que é verdade?

— Você, um porre, e impossível. — Sorri para ela. — Mas eu estou acostumada com você.

— Cale a boca — disse ela, me encarando. Depois, olhou para baixo e acrescentou — Tudo bem. Você está certa.

— Sei disso — respondi.

Ela se levantou e andou até a porta, virando-se para mim ao sair para o corredor.

— Sabe, um dia você vai ser muito grata.

— Pelo quê?

— Por ser alta. — Ela olhou para mim, os olhos viajando de meus pés até a minha cara. — Você não acha isso agora, mas vai ver.

— Duvido — respondi. — Mas obrigada por fazer um esforço.

Ela fez uma careta para mim, meio sem graça, e eu ouvi seus pés minúsculos batendo pelo corredor até as escadas. Ashley tinha mais duas semanas no quarto ao lado do meu, que tinha uma parede tão fina entre nós que eu sempre sabia quando ela chorava até dormir, se tinha pesadelos, ou se remexia no sono. Eu sabia muito mais sobre Ashley do que ela teria permitido se tivesse controle sobre as coisas. Havia uma ligação estranha entre nós, por mais que não fosse intencional: o divórcio, a parede, os anos que nos separavam ou não. Minha irmã estava saindo de casa e se livraria de mim em apenas duas semanas. Apesar de tudo, de bom e de ruim, eu ficava triste ao vê-la partir.

Os ajustes naquela tarde foram como sempre. Subi em uma cadeira enquanto a senhora Bella Tungsten, costureira, engatinhava no chão abaixo de mim com a boca cheia de alfinetes, murmurando por entre os dentes, "Fique quieta, por favor". Ela tinha uma fita métrica em volta do pescoço que poderia brandir em um segundo, batendo-a contra a minha pele ou ao redor da minha cintura com um movimento do pulso. Era o quarto ajuste, o último, e todos nós a conhecíamos um pouco melhor, coisa que nós jamais pensamos que aconteceria.

— Nunca em toda minha vida vi uma menina crescer tão rápido — dizia a senhora Bella, com a fita na mão, puxando a barra do meu vestido. — Vai ter que ficar mais curto que o das outras. Isso é tudo que posso dizer.

— Muito mais curto? — Mamãe se levantou da única cadeira decente do provador da Dillard's e veio inspecionar. — Visivelmente?

A costureira puxou o vestido novamente, tentando aumentar o comprimento onde não havia nada a ser feito.

— Não tem nada que eu possa fazer. Não dá para descer mais o vestido.

Ashley suspirou alto do canto da sala, onde uma das assistentes abria a cauda, os braços cheios de tecido branco sedoso. Mamãe fez cara feia para Ashley e se agachou ao lado da senhora Bella, olhando para a minha barra.

— Ninguém vai ficar olhando para a barra dos vestidos, não é? — Ela não parecia tão certa.

— Bem... — a costureira respondeu lentamente, cuspindo alguns alfinetes. — Acho que não. Pelo menos, acho que não.

Enquanto isso, fiquei parada ali, de braços cruzados sobre o peito, segurando o vestido no qual faltava o zíper, além da fita branca de acabamento e o arco que Ashley tinha acrescentado para personalizar o padrão. Já era bem ruim estar na Dillard's com mamãe e a senhora Bella puxando minha barra e olhando para os meus tornozelos, mas a sala dos funcionários era bem na sala ao lado, as pessoas ficavam passando, carregando sacos de papel ou copos de café e paravam no caminho. Todos conheciam Ashley, colega de trabalho, e paravam para dar um oi e fazer um alarido sobre ela e seu vestido. Eles apenas olhavam para mim, a gigante sobre a cadeira, alta demais para o belo vestido de dama de honra muito rosa, que agora estava curto e que não caía graciosamente sobre os tornozelos, como originalmente planejado. Eu só encarava adiante um relógio sobre a fonte de água e fingia estar em algum lugar, em qualquer outro lugar.

— Tudo bem, querida Heaven, solte os braços para eu ver esse corpete. — A senhora Bella tinha sido corrigida várias vezes sobre o meu nome, sem sucesso. Era um detalhe a mais para arrumar.

Baixei os braços, ela bateu a fita em meu peito e depois a puxou para o lado. As mãos dela eram secas e frias, e senti arrepios surgindo imediatamente e se espalhando, a minha reação rápida a qualquer contato com a senhora Bella. Ela tinha a idade de mamãe, mas já tinha aquele cheiro denso de mofo de mulheres velhas e de roupas guardadas. Ela arrastou um banquinho para subir e examinar a fita.

— Acho que deve haver algum gene de pessoas altas em sua família, senhora McPhail — disse ela, enquanto apertava a fita ainda mais, para em seguida deixá-la cair. — Ou talvez do lado de seu marido?

— Não — respondeu mamãe, com a voz suave que ela usava quando queria incentivar alguém a esquecer o que estava falando. — Na verdade não.

— Deve vir de algum lugar, não é, Heaven? — Ela tirou uma almofada de alfinetes do bolso e prendeu a parte de trás do vestido, inserindo um alfinete após o outro.

— É Haven — mamãe a corrigiu delicadamente, tentando me fazer olhar para ela para que eu pudesse ver sua expressão por-favor-seja-paciente. Mantive meus olhos no relógio, no segundo ponteiro pulando ao redor do mostrador, e me concentrei na passagem do tempo.

— Ah, claro! — respondeu ela. — Provavelmente é um daqueles, como é que se chamam, genes recessivos? Só aparece em algumas gerações, ocasionalmente.

Mamãe murmurou baixinho, tentando fazê-la mudar de assunto. Ashley andava pelo aposento com o vestido e pés descalços, enquanto a assistente a seguia, arrumando a cauda atrás dela. Mais empregados passavam agora, com o relógio se aproximando do meio-dia e meia. Pude sentir meu rosto ruborizando. Eu me achava uma gigante, a cabeça quase roçando o teto, meus braços se arrastando até os alfinetes da senhora Bella no chão. Na minha mente, aquela imagem de rasgar os cartazes no vão central do shopping novamente, minhas mãos apertando o tecido conforme subiam diante de mim. Imaginei-me uma monstra, laboriosa como Godzilla pelos corredores da Dillard's, buscando a senhora Bella com a boca cheia de alfinetes e genes recessivos e elevando-a acima da minha cabeça com um punho, triunfante. Eu me via lançando uma faixa de destruição por todo o shopping, por toda a cidade, exigindo vingança contra todos que me olhavam ou faziam as inevitáveis piadas de basquete como se eu nunca tivesse ouvido antes. Minha mente flutuava, repleta dessas imagens de caos e vingança, quando a voz dela me interrompeu:

— Tudo bem, querida, as costas estão livres. Com um pouco de costura criativa acho que podemos fazer este vestido cair bem em você. — Baixei o olhar e vi Ashley abaixo de mim com seu próprio vestido, uma visão de tecido branco e pele bronzeada, o rosto virado para cima, a mão segurando o arranjo de cabeça.

— Só não cresça por duas semanas — ela falou para mim, meio séria. — Faça esse favor.

— Ashley! — mamãe disse, de repente, de saco cheio com todo mundo. — Tire o vestido, Haven, e vamos almoçar.

Fui me trocar e tirei o vestido, cuidando para não me espetar com uma das centenas de alfinetes no tecido. Coloquei minhas roupas e trouxe o vestido para fora dobrado sobre o braço, entregando-o de volta para a senhora Bella, que agora estava absorta em furar Ashley com agulhas, que ela bem merecia. Nós a deixamos lá em pé, toda de branco, como se à espera de ser colocada no centro de um bolo com chantili. Tivemos que comer no shopping, por isso escolhemos o Sandwiches N' Such, que era um lugarzinho ao lado do Yogurt Paradise. O lugar vendia sanduíches sofisticados e café expresso e tinha mesinhas com toalhas de mesa em xadrez vermelho e branco, como se estivéssemos na Itália. Sentamos no canto mais distante, com a máquina de café expresso cuspindo atrás de nós.

Não falamos muito no início. Comi o meu pão integral com atum e olhei para a multidão caminhando sob as bandeiras esvoaçantes do shopping. Mamãe pegou a comida e não comia muito, remexendo as coisas de um lado a outro. Alguma coisa a incomodava.

— O que você tem?

Assim que perguntei, ela me olhou, surpresa. Ela nunca se sentia à vontade com a facilidade com que eu conseguia interpretá-la, preferindo pensar que ela ainda podia me enganar, acobertando o que era horrível ou assustador com um movimento da mão, do jeito que ela fazia, perseguindo monstros debaixo da minha cama quando eu era pequena.

– Bem – disse ela, deslocando-se na cadeira. – Acho que eu só queria um pouco de tempo sozinha com você para fazer um balanço.

– Balanço do quê? – Me concentrei na minha comida, escolhendo as partes moles.

– De nós. Você sabe, assim que a cerimônia acabar, e Ashley se mudar, seremos só nós duas. As coisas serão diferentes.

Ela estava elaborando algo.

– Pensei muito sobre isso e seria melhor, acho, se eu a mantivesse informada sobre o que está acontecendo. Não quero tomar decisões importantes sem consultar você, Haven.

Esse tom, esse amontoado de palavras que soavam imponentes, parecia muito com a conversa ao pé da mesa da cozinha que começara pela manhã no dia em que papai saiu de casa. Os dois surgiram juntos para nós enquanto eu comia cereal, uma frente unida anunciando uma separação. Isso fora há muito tempo, antes de mamãe comprar todos os seus conjuntos de shorts e sandálias combinando e de papai surgir de cabelos novos, esposa nova e um começo novo. Mas a sensação em meu estômago era a mesma.

– Você está indo para a Europa? – perguntei.

– Não sei ainda. Quero muito ir, mas estou preocupada em deixar você sozinha, logo após a sua irmã sair de casa. E, claro, o outono, com você na escola... a época não é muito boa.

– Eu fico numa boa – respondi, olhando um bebê na mesa ao lado babando suco. – Se você quer ir, vá. – Fiquei mal por não estar sentindo isso, embora tivesse falado.

— Bem, como eu disse, ainda não resolvi. — Ela dobrou o guardanapo mais uma vez e depois de novo: um quadrado perfeito. — Mas tem outra coisa que eu preciso discutir com você.

— O quê?

Ela suspirou, colocou o guardanapo no centro vazio do prato e disse rapidamente:

— Estou pensando em vender a casa.

No momento em que ela disse isso, uma imagem da nossa casa saltou à minha mente como um slide projetado na tela durante uma apresentação escolar. Visualizei o meu quarto, o jardim da minha mãe e o caminho até a porta da frente com lírios florescendo nas duas laterais. Na minha cabeça, era sempre verão, com a grama curta e espessa e o jardim todo colorido, flores ondulando ao vento.

— Por quê?

A parte mais difícil, cuspir isso para fora, estava feita e agora ela relaxou.

— Bem, vamos ficar só nós duas, e seria mais barato se a gente mudasse para um lugar menor. Talvez a gente encontre um bom apartamento e economize dinheiro. A casa é realmente muito grande para apenas duas pessoas. Vai ficar grande demais. Vender parece ser a opção lógica.

— Não quero me mudar — eu disse um pouco alto demais e fiquei surpresa com o tom forte da minha voz. — Não consigo acreditar que você queira vendê-la.

— Não é uma questão de querer, necessariamente. Você não sabe como é caro mantê-la, mês após mês. Só estou pensando na melhor estratégia.

— Eu não gosto da melhor estratégia. — Não gostei de nada. De repente, as mudanças, reorganizações e alterações da minha vida estavam todas sob o controle de outras pessoas e forças externas. Olhei para mamãe com sua bela roupa rosa, o batom e o corte e a tintura dos cabelos inspirados em Lydia e quis culpá-la por tudo: o divórcio, o casamento idiota de Lewis e Ashley e até mesmo a minha altura, que me fazia curvar e me encolher cada vez mais. Combater a natureza faz o meu corpo me trair. Mas ao olhar para ela e ver a preocupação em seu rosto, eu não disse nada. Gostaria de empurrar tudo de volta, fincar os calcanhares onde eu estava enquanto o mundo mudava ao meu redor, e o que eu considerava meu, de repente, perdido para os erros, os enganos de cálculo, ou os caprichos de outra pessoa. Um casamento, uma irmã, uma casa, cada peça uma parte elementar de mim, agora desaparecida.

— Haven, nada disso está decidido ainda — disse mamãe, esticando-se na mesa, toda desajeitada, para passar a mão nos meus cabelos, os dedos acariciando meu rosto. — Não vamos ficar chateadas, tá? Talvez a gente consiga outra solução.

— Sinto muito — respondi, pensando no arreio novamente, puxando-me para trás até mesmo quando eu me esforçava para fugir, dizendo a minha opinião. — Eu não queria gritar com você.

Ela sorriu.

— Tudo bem. Acho que nós temos direto de gritar uma com a outra, pelo menos uma vez, antes do casamento. Acho que faria um bem imenso.

Mais tarde, depois de conversarmos um pouco para que ela pudesse sentir que tínhamos terminado numa boa, fiquei sentada sozinha à mesa e olhei para fora no shopping, adiando a volta ao trabalho. As Modelos Lakeview fariam sua primeira aparição no próximo fim de semana, lançando o início oficial da temporada no shopping, a cada fim de semana um evento ou vendas espetaculares. O shopping era um mundo completo, fechado, seguro, com parâmetros nitidamente delimitados. Apenas Sumner parecia fora dos limites, cruzando com seu carrinho de golfe onde ele quisesse, mantendo a paz e evitando as multidões. Quando saí, pude vê-lo perto da máquina de chicletes gigante, de uniforme, parecendo compenetrado. Ele me viu e se aproximou, deixando o carro estacionado com segurança ao lado de uma fileira de samambaias.

— Você está chateada — observou ele, acompanhando-me ao lado. A barra de seu uniforme rolava sobre seus pés e escondia os sapatos.

— Bem, foi um longo dia.

— O que aconteceu? — Ele acenou para a proprietária da Shirts Etc., uma mulher roliça com cabelos pretos desfiados que só podiam ser peruca. A franja era arrumada demais, cortada reta na testa.

— Acabei de almoçar com a minha mãe.

— E como ela está?

— Bem. Ela vai para a Europa. — Eu andava o mais vagarosamente que podia, com o cartaz da Little Feet iminente à frente. As palavras estavam escritas nos sapatos, iguaiszinhas às das caixas e ao crachá no meu bolso, que eu ia esperar até o último segundo para colocar.

— Eu adoro a Europa — disse Sumner, ajeitando os óculos. — Fiz o meu segundo ano lá e foi ótimo. Muitas garotas bonitas, se você não liga para pelos nas axilas.

— E você não ligava?

— Não ligava para o quê?

— Para os pelos nas axilas.

Ele pensou por um minuto.

— Não. Não necessariamente. Mas dependia do meu humor e da extensão do pelo. O chocolate de lá é ótimo, também. Você deve pedir para a sua mãe lhe trazer algum.

— Acho que vamos nos mudar — prossegui, tentando assimilar as palavras, pela primeira vez. Parecia estranho. Mais uma vez visualizei a minha casa, o meu quarto, as flores. Talvez a gente acabe em um apartamento como Ashley, todo pintado de branco e com cheiro de tapete novo, com uma piscina barulhenta ao alcance do ouvido.

— Mudar para onde? — Agora Sumner acenava para todos os comerciantes. Poucos dias no trabalho, e ele já conhecia todo mundo, trocando piadas e piscadinhas enquanto passávamos por cada loja. Mais uma vez senti aquela urgência vertiginosa de estar com ele, próximo a ele, sendo levada para um passeio, independentemente de onde ele poderia estar indo, aquela esperança de que, talvez, em algum lugar em toda essa loucura e confusão, ele fosse o único que pudesse me entender.

— Mamãe não sabe — respondi. — Ela só quer vender a casa.

— Ah. — Ele balançou a cabeça, mas não disse nada imediatamente. — Isso é difícil.

— É por causa do divórcio e da saída de Ashley. Só nós duas agora, e isso tudo. Não sei. As coisas têm sido tão malucas ultimamente.

— É, quando meus pais se divorciaram, foi muito feio. Todo mundo brigava, e eu não conseguia dar conta daquilo. Então eu enfiei minhas coisas no carro e parti. Nem sabia para onde eu estava indo.

— Quantos anos você tinha?

— Não sei... dezoito? Foi no verão antes de eu ir para a faculdade. Eu só viajei um pouco fazendo minhas coisas, e quando voltei tudo estava um pouco mais calmo. Então fui para a faculdade.

— Eu gostaria de poder ir a algum lugar.

— Entendo o que você está dizendo. Às vezes, as coisas começam a ser demais. — Depois, ele acrescentou: — Você contou a Ashley que me viu?

— Contei. — Eu ainda estava com minha mãe na mente, a casa e a Europa tudo misturado e, de repente, cá estava Ashley, o centro das atenções novamente. — Falei com ela — respondi.

— O que ela disse?

Olhei para Sumner, perguntando-me qual era a dele, então disse:

— Ela não falou muita coisa. Tem muito no que pensar agora.

— É claro. — Ele encolheu os ombros. — Bem, com certeza. Eu só queria saber se ela se lembrava de mim, sabe. Se ela correu gritando pela sala à menção do meu nome.

— Nada tão dramático — respondi. — Ela só... mandou eu dizer oi se eu o visse novamente.

— Verdade? — Ele ficou surpreso. — Uau!

— Quero dizer, foi bem isso — falei rapidamente, temendo que esta mentirinha pudesse carregar mais peso do que eu atribuí a ela. Eu não poderia dizer que ela mal piscou, pendurada na varanda com os cabelos protegendo o rosto. Como aquilo nem tinha desviado a mente dela do casamento e de Lewis e até mesmo do menor pensamento que ela pudesse estar tendo. Ninguém quer ser inconsequente.

— Ah, sei — disse ele. — Só queria saber se ela ainda se lembrava de mim.

— Ela se lembra — respondi quando chegamos à Little Feet, com tênis pendurados em linha de pesca na vitrine e peixes de papel que eu tinha feito, presos na parede de trás. — Você não é tão esquecível.

— Ah, tá. Não sei nada disso. — Ele parou na porta da loja, fazendo uma mesura com o braço. — Cá estamos.

— É. — Dei uma espiada e vi meu gerente dobrando meias. Quando ele me viu, deu um olhar nada sutil para o relógio, esticando o pescoço longo e flexível. Eu odiava meu trabalho.

— Você sabe que pode passar na Dillard's e vê-la. Ela trabalha no balcão de cosméticos Vive. — Ele sorriu.

— Não acho que seja uma boa ideia. Não há como dizer o que pode acontecer quando ela me vir.

Meu gerente me observava, dobrando meia após meia.

— Você poderia pelo menos dizer oi. Quero dizer, você nunca fez nada contra ela.

Sumner ergueu o olhar. Ele me encarou como se meu rosto estivesse mudando diante dele, e depois disse lentamente:

— Bem, não. Acho que não. Olhe, é melhor eu ir, Haven. Tenho que voltar ao trabalho.

— Eu também. — Peguei meu crachá e o coloquei, fixando o clipe. — Pense nisso, Sumner. Não é que ela tenha lhe odiado. — Não sabia por que isso era tão importante para mim, talvez eu pensasse que ele poderia trazer de volta a Ashley que eu amava tanto, aquela que gostava de mim. Talvez a magia de Sumner pudesse operar em nós duas novamente. Ele começou a se afastar, as mãos nos bolsos. Agora, ele parecia menor para mim, perdido no verde de seu uniforme.

— É. Te vejo mais tarde.

Fiquei lá e o vi indo, apesar de ainda ganhar tempo enquanto o ponteiro dos segundos do relógio da loja se aproximava mais das duas horas. O shopping estava barulhento e cheio agora, com as pessoas, as vozes e as cores se mesclando. Outro sábado de compras, famílias e sacolas vermelhas do Shopping Lakeview. Ainda assim mantive meus olhos em Sumner enquanto ele atravessava a multidão passando pelos vasos de plantas e cartazes oscilando lá no alto. Ele já esteve onde eu estava, uma vez; ele entendeu. Eu o vi ir, até que ele se perdeu de mim, outro verde se deslocando em um mar multicolorido.

Capítulo Oito

No pouco tempo depois de voltar para casa, Casey conseguiu não apenas ser castigada por fumar, mas também por ser pega fazendo chamadas interurbanas de horas para a Pensilvânia, por beber cerveja no barracão do jardim durante uma churrascada familiar e por desaparecer por um dia inteiro. A senhora Melvin não aguentava mais ver a cara de Casey, então deu-lhe permissão de duas horas para vir me ver, desde que ela ligasse a cada meia hora e chegasse em casa às seis. Ela chegou sem fôlego, dois segundos depois de ter se convidado para me visitar.

— Mamãe quer me matar — ela falou enquanto saíamos para uma volta pelo bairro, para conversarmos em particular. — Eu ouvi meus pais discutirem minha situação ontem à noite, na varanda dos fundos.

– E ela disse que queria matá-la?

– Não, ela disse que estava começando a pensar que a única solução seria me trancafiar no meu quarto. – Ela tirou uns cachos cor de laranja do rosto. – Mas hoje ela me deixou sair. Acho que está tramando alguma coisa.

– Você está paranoica – respondi.

– Ontem à noite, quando liguei para o Rick, ele disse que estava recebendo o mesmo tratamento dos pais. Ele não pode me ligar nem por um tempinho. – Ela suspirou, cruzando os braços sobre a camisa, uma polo branca dez vezes o tamanho dela. Fiquei curiosa para saber se Rick ainda tinha ficado com alguma roupa. Eu o imaginei deixando o acampamento 4-H nu, com Casey pondo na mala tudo que ele tinha como souvenir.

– É só até o dia de Ação de Graças – falei, tentando ajudar. Esse turbilhão de emoções, que fazia todas as mulheres ao meu redor se comportarem de modo tão maluco, não tinha acontecido comigo ainda.

– O dia de Ação de Graças não vai chegar nunca – exagerou ela, enquanto pegávamos a esquina e descíamos para a rua paralela à nossa. – Estou enlouquecendo aqui, e faz menos de uma semana. Tenho que encontrar alguma maneira de ir até lá.

– Ir para onde?

Ela revirou os olhos.

– Pensilvânia. Puxa, Haven, você está prestando atenção?

– Não quando você começa a falar que nem uma louca. Você ainda nem dirige.

– Mas eu vou dirigir, dentro de duas semanas e meia. – Com o casamento tão perto, eu tinha me esquecido que o aniversário dela estava próximo.

— Papai está me fazendo dirigir todas as noites perto de casa, e eu sei que eles vão me dar o Delta 88 da minha avó. Eles acham que é segredo e que eu não sei por que ele está na garagem, mas eu sei.

— Mesmo que você esteja para conseguir a carteira de motorista — falei, enquanto um grupão de crianças em bicicletas passaram por nós, todos com capacetes e joelheiras, minipunks aterrorizando o bairro —, eles nunca vão deixar você ir até a Pensilvânia.

— Claro que não vão deixar — ela respondeu com naturalidade, como se eu fosse retardada e simplesmente não conseguisse entendê-la. Desde que Casey tinha enlouquecido no acampamento 4-H, parecia que tínhamos cada vez menos coisas em comum. — Mas isso não significa que eu não possa ir. Dou uma fugidinha, tipo, no meio da noite, e ligo na manhã seguinte, quando estiver, vamos dizer, em Maryland. Então eles vão estar tão malucos de preocupação e ficarão tão felizes de eu estar viva que vão me deixar ir. Depois volto e ganho um castigo colossal, mas vale a pena porque posso ficar com o Rick.

Olhei para ela.

— Isso nunca vai funcionar.

Ela esticou o lábio inferior, algo que ela tinha desenvolvido bem na semana passada, e disse:

— Vai sim.

— Ah, como se os pais de Rick não fossem mandar você para casa no segundo em que você aparecesse. Eles não vão deixar você zanzando por lá enquanto seus pais estão sentados aqui esperando você chegar em casa para que possam matá-la.

Ela olhava para a calçada enquanto eu dizia isso, fazendo questão de não olhar para mim. Depois de um minuto, ela disse com a voz firme:

— Você não entende, Haven. Nem pode. Você nunca se apaixonou.

— Ora, por favor — falei, de repente, de saco cheio. Estava cansada de ouvir falar em Rick e na Pensilvânia e nas histórias do acampamento. Eu não conseguia falar com mais ninguém. Sumner parecia ser a única pessoa que ouvia a todos, a única que não pedia nada e que não levava nada de mim.

— Sabe qual é o seu problema? — Casey começou, com a mão prestes a me chacoalhar, mas depois ela parou, prendendo a respiração. Ela agarrou minha camisa, puxou e apontou para um dos quintais.

Era Gwendolyn Rogers. Ou pelo menos a parte de trás de Gwendolyn Rogers. Os cabelos dela estavam puxados para cima em um rabo de cavalo alto e usava a parte de cima de um biquíni preto de alcinha. Estava ali, sozinha, com as mãos no quadril e com o olhar perdido por todo o quintal, por cima do muro até o quintal ao lado. Ela estava muito, muito parada.

De repente, ouvi uma voz de mulher, vinda das janelas abertas do andar de baixo da casa.

— Gwendolyn? Gwennie, você está aí? Gwendolyn? — Era a voz de uma mãe.

Gwendolyn não se mexeu, tão imóvel e alta, tão semelhante às árvores ao seu redor. Ela era enorme e, pela primeira vez em muito tempo, eu me senti pequena, não maior que uma anã. Casey ainda puxava minha camisa, apontando como se eu não tivesse visto nada e disse:

— É ela, puxa, Haven, *olhe*.

Eu estava olhando e ouvia a voz da senhora Rogers, enquanto ela passava de uma janela a outra, ficando cada vez mais alta e depois desaparecendo. Finalmente, ela saiu na varanda dos fundos, onde só podíamos ver o topo de sua cabeça pelo muro, sendo que ela tinha tamanho normal. Com a voz doce, ela disse:

— Gwendolyn? — O topo da cabeça dela se mexia pelo quintal, até que ficou de igual para igual com o meio da coluna vertebral de Gwendolyn. Vi uma mão subir, minúscula, e tomar um dos braços longos e finos. — Vamos entrar, querida, está bem? Talvez fosse melhor você se deitar um pouco.

A voz era muito clara e suave, do tipo que se ouve à beira da cama quando você está doente e vomitando e sua mãe traz compressas frias, ginger ale e bolachinhas salgadas. A senhora Rogers acariciou o braço de Gwendolyn, falando agora numa voz baixa que não consegui discernir, mas Gwendolyn não mexeu um músculo. Finalmente, ela se virou. Então, vi seu rosto, o mesmo que eu vira em todas as capas de revistas e na MTV. Só que não era o mesmo: não estava bronzeado, com lábios rosados e cílios de um quilômetro, e nada de cabelos esvoaçantes ao vento emoldurando seu rosto, ou diamantes faiscando em seus olhos azuis e selvagens. Em vez disso, vi apenas uma garota com a expressão sem graça, vazia, magra, angulosa e perdida. Seu rosto era encovado e a boca pequena, nada sensual, mais parecia um rabisco desenhado às pressas com uma canetinha ou o giz de cera de uma criança. Não sei se ela nos viu. Ela se virou na nossa direção, com os olhos fixos em nós, mas não dava para dizer o que ela via. Poderia ter sido nós, as árvores atrás de nós, talvez outro lugar, ou rostos de outras pessoas. Ela apenas olhou para nós por alguns instantes, com aquela expressão assombrada e esquálida, até que a mãe dela a impulsionou, e ela se abaixou pela porta, desaparecendo.

— Você viu? — Casey estava no quintal delas agora, esticando a cabeça para dar uma espiada lá dentro. — Puxa, dá para acreditar nisso? Ela está horrível.

— Precisamos ir – eu disse, ciente agora de que elas poderiam estar em qualquer uma das janelas, nos observando. Parecia uma casa pequena demais para conter alguém tão grande, como uma casa de bonecas com pratos minúsculos e jornais.

Praticamente tive que arrastar Casey pela calçada. Ela tinha certeza de que Gwendolyn faria uma nova aparição, ou de que surgiria pela porta, de sopetão, para outra caminhada histérica pelo bairro.

— Venha – insisti, depois desisti de tentar levá-la à força e saí do mesmo jeito que sempre fazia quando ela agia de alguma maneira que poderia colocar as duas em apuros.

Ela veio atrás, queixando-se durante todo o caminho.

— Se a gente tivesse ficado, ela poderia ter saído e vindo conversar. Acho que se sente solitária.

— Ela nem nos conhece – retruquei enquanto virávamos de volta para nossa rua. A bandeira da senhora Melvin, estampada com um morango, tremulava com a brisa algumas casas abaixo. A gangue da bicicleta passou novamente, desta vez na rua, gritando e fazendo um gesto obsceno com o dedo. Eram todos garotos do ensino fundamental.

— Ela sabe que a gente sente a dor dela – observou Casey que, de repente, tinha uma identificação pessoal com ela. – Sei como ela se sente.

— Você não sabe – respondi, assim que chegamos à casa dos Melvin. – Tudo que você sabe é amar um carinha idiota na Pensilvânia.

— É o amor, é o amor – disse Casey, insistente. – Nós, mulheres sabemos.

Já que estávamos diante da casa dela, Casey parou para a verificação da primeira meia hora. A senhora Melvin estava na cozinha, fazendo algum tipo de refeição extravagante que exigia descascar berinjela. Bebê Ronald estava à mesa da cozinha comendo fatias de mortadela e brincando com seus bonecos de ação de Jornada nas Estrelas.

— Só para avisar que eu não fugi para a Pensilvânia. — Casey falou, indo diretamente à geladeira. O quarto cheirava a arroz queimado. Dava para ouvir Charlie Baker, o âncora de notícias, falando sobre assuntos nacionais do pequeno aparelho de TV assentado sobre o balcão, perto das bananas.

— Não é nada engraçado. — A senhora Melvin colocou a berinjela, que tinha um tom marrom-doente sem a casca roxa, sobre a mesa. — Não se esqueça de que o jantar é às seis e quinze. É a noite da família.

Casey pegou duas latas de Pepsi Diet e fez uma careta para mim.

— Puxa, quanto tempo mais eu tenho que aturar vocês, afinal?

A senhora Melvin voltou à berinjela, a boca naquele esgar um pouco tenso que indicava que estava irritada.

— Não estou a fim de responder à essa pergunta.

— Oi, bebê Ronald — cumprimentei, puxando uma cadeira e me sentando diante dele.

Ele fez uma careta, franzindo o nariz. As sardas se encolhendo e depois se abrindo.

— Cala a boca.

— Ronald! — a senhora Melvin ralhou. — Que falta de educação!

— Não sou um bebê — protestou ele.

— É sim — afirmou Casey.

— Bem, é você que está com problemas — Ronald falou indignado, jogando uma rodela de mortadela na mesa e fazendo um Klingon marchar em cima.

— E você é um idiota — disse Casey. — Então, foda-se.

— Casey! — a senhora Melvin disse com a voz cansada. — Por favor.

Voltei minha atenção para a televisão, onde pude ver toda a equipe do *Action News* em pares em dois conjuntos de mesas. Charlie Baker e Tess Phillips de um lado, sóbrios, folheavam papéis assim que voltaram de um comercial; do outro lado, meu pai e Lorna, sorrindo e cochichando um com o outro. Papai tinha ainda mais cabelo que a última vez em que eu o vi. Ele nunca teve muito, mesmo quando eu era pequena. Lorna estava ao lado dele, as mãos cruzadas sobre a mesa à sua frente.

— E agora o tempo. Vamos ao *Cenário do Tempo* com Lorna Queen — Charlie Baker explodiu com seu vozeirão enquanto a câmera se movimentava pela sala, estampando o rosto sorridente de Lorna. Ela se levantou. Hoje estava com uma minissaia e casaco pink, e caminhou até o mapa do tempo.

— Obrigada, Charlie. O dia está lindo hoje, não é, pessoal? Queria poder lhes dizer que isso vai continuar. Vamos dar uma olhada no mapa nacional. Veja uma frente fria se movimentando sobre os estados do meio Atlântico, produzindo alguns aguaceiros...

Eu me desliguei de Lorna para não ficar assistindo seus gestos pelos cinquenta estados, agitando o braço sobre o mapa como se ela pudesse criar chuvas ou seca em um capricho. Gostaria de saber se alguém realmente a ouvia totalmente. Agora ela estava diante da Previsão para os Próximos Cinco Dias.

— ... até terça-feira, mas lamento dizer que não posso prometer muito de quarta a sexta. Estará encoberto, com algumas nuvens altas, a tempestade vespertina normal e, claro, temperaturas altas e, o predileto de Charlie, muita umidade. Certo, Charlie?

A câmera mostrou Charlie de novo, que foi pego brincando com o lápis e resmungou alguma coisa rapidamente antes que o zoom voltasse para Lorna. Agora ela estava em pé diante de um vídeo com um monte de crianças correndo atrás de coelhos pela grama.

– E, finalmente, eu queria agradecer a todas as crianças da creche Little Ones, onde fui hoje dar uma aula sobre a Weather Scene. Conversamos sobre chuva e neve e nos divertimos com os coelhinhos que eles têm lá, como vocês podem ver. Ótimas crianças. – Ela acenou para a câmera. – Um oi especial para todos vocês. Obrigada por me receberem!

– Meu Deus! – Casey exclamou de forma dramática, revirando os olhos.

– Casey! – a senhora Melvin ralhou, jogando o descascador na pia.

– Só estou dizendo...

Então, Lorna terminou sua parte, acenando, e tomou seu lugar ao lado de papai novamente. Charlie Baker remexeu seus papéis, parecendo sério, e então disse:

– Obrigado, Lorna. Estou aguardando a umidade que você me prometeu.

– Um pouco tarde para soltar essa piada – Casey observou. – Ele é um idiota.

Tess Phillips se inclinou sobre Charlie Baker, com seu sorriso de locutora.

– Soube que você tem uma novidade especial, Lorna. – Ela corou, ficou vermelha, e tive aquela sensação no meu estômago novamente.

– Verdade, Mac e eu temos. Certo, amor?

– Certo – disse meu pai. – Ele parecia maior, com todo aquele cabelo.

— Estamos grávidos! — Lorna gritou com a voz aguda. — Vou ter bebê em março!

Na televisão, na redação do *Action News*, houve uma explosão de parabéns, batidas nas costas e animação geral. Na cozinha dos Melvin, tudo ficou muito silencioso e, de repente, todos olhavam para mim.

— Grávidos? — Casey se admirou. — Como isso é possível? O casamento foi menos de um mês atrás, não é possível ela estar grávida. A menos que isso tenha acontecido *antes*, mas...

— Casey! — a senhora Melvin disse em voz baixa. — Psiu...

Olhei para papai na tela, vendo-o sorrir com orgulho para os telespectadores, antes do corte para um comercial. De repente, eu queria ir para casa.

— Puxa, Haven. Por que você não me contou? — Casey estava atrás de mim agora, com a mão no espaldar da minha cadeira.

— Olha, é melhor eu ir. — Mantive meus olhos no comercial de antenas parabólicas. Bebê Ronald batia as figuras sobre a mesa, imitando uma guerra ao lado do açucareiro.

— Vou com você — disse Casey.

— Não — retruquei rapidamente. — Está tudo bem. Eu ligo mais tarde.

— Você está bem?

Eu podia sentir a senhora Melvin, leva-e-trás do bairro, me observando e tomando notas para a próxima sessão de fofocas.

— Tudo bem. Só me esqueci de que precisava voltar para casa.

— Está bem, então me ligue. — Ela me acompanhou até a porta, segurando-a até eu sair para o quintal. — Você vê? Sou uma prisioneira aqui. — A senhora Melvin ainda tinha os olhos em mim, com a berinjela na mão.

— Eu ligo. — Comecei a descer a calçada, aspirando o ar denso e úmido de verão que pesava em meus pulmões. Era fim de tarde, e todas as crianças estavam fora: punks de bicicleta e de rodas grandes e mães com carrinhos agrupados na esquina, sem dúvida, trocando informações sobre os últimos colapsos nervosos, refogados de atum e casamentos em falência, as boas novas do bairro. Andei até o fim da entrada da garagem e cheguei até a calçada, sentindo cada passo em minhas canelas como se, usando a força de fincar os pés no chão, eu pudesse forçar o mundo a sair de debaixo de mim.

Enquanto andava, não consegui tirar papai da cabeça, com os cabelos e aquele sorriso orgulhoso de quem ia ser pai, explodindo de felicidade. Lorna Queen com suas orelhinhas e cabelos loiros. Um bebê com o rosto redondo de meu pai e meu sobrenome. A vida nova de papai progredia como planejada, um passo certo de cada vez. Senti novamente a mesma sensação que eu tinha sempre que outra mudança ou transformação na minha vida se anunciava: a venda da casa, as birras de Ashley e agora o bebê – aquela necessidade de prender os calcanhares no chão e me preparar para o *próximo* baque e suas consequências. Estava cansada de andar por aí, pegando os caquinhos para transformá-los em um todo novamente.

Parei de repente, sem fôlego, incerta de onde eu estava. As casas no meu bairro eram todas semelhantes, a planta de um piso invertido e depois novamente. Mais crianças de bicicletas, mais mães nas esquinas, bandeiras com desenhos de melancia e de raios de sol penduradas nas varandas. Eu poderia morar em qualquer dessas casas. Qualquer uma dessas famílias poderia ter sido a minha.

A sensação latejante e sufocante na minha garganta me fez querer começar a soluçar, desmoronar, bem ali em uma esquina desconhecida diante de uma casa igualzinha à minha. Tudo parecia tão fora de controle que mesmo correndo pelas ruas eu não poderia me salvar. Eu me perguntei se era assim que Gwendolyn se sentia correndo loucamente pela noite, esta sensação perdida e solta de que nenhuma consequência poderia ser tão prejudicial quanto o sentido de ficar onde se estava, nem de ser quem você é. Eu queria estar em outro lugar, fora do alcance da voz e das orelhas de mamãe, do olhar de desprezo de Ashley, da área de visualização das notícias do Canal 5. Em algum lugar onde a visão de mim chorando me amarraria a ninguém e ninguém a mim.

Eu ia deixar isso acontecer, deixar as lágrimas brotarem e os soluços se erguerem de meu peito. Eu imaginei chorar até ficar exausta, seca, e finalmente deixar tudo ir.

Então ouvi aquele som blub-blub-blub, espocando, vindo da esquina onde eu estava. Sumner estava ao volante, tão ocupado ajustando o som que sequer me viu no começo. Bem quando pensei em chamá-lo, ele olhou por cima do ombro.

Parou ao meu lado, sem problemas de alinhamento com o meio-fio. O banco do passageiro estava cheio de livros, pesados volumes negros com monogramas dourados.

— Ei, Haven. O que rola por aí?

Mesmo enquanto ele falava, eu fazia aquilo, inspirava e desanuviava minha cabeça, engolia até o caroço na minha garganta desaparecer. Fincando meus calcanhares novamente, me controlei.

— Nada — respondi.

— Quer uma carona? — Ele começou a empurrar os livros para a parte de trás.

— Está bem. — Entrei e nós partimos, fazendo barulho ao longo do curto caminho até minha casa, passando pelo território familiar dos Roger. Sumner tirou a gravata e se esticou em cima de mim para enfiá-la no porta-luvas.

— E aí? — ele falou, depois de um tempo. — O que acontece?

— Nada — respondi. — É só que... meu pai e a nova esposa vão ter um bebê.

— Um bebê?

— É. Eles acabaram de se casar.

Ele sorriu.

— Uau. Eles não perderam tempo, hein?

— Acho que não — respondi. — Na verdade, isso torna tudo tão oficial. Papai começou uma vida nova, de verdade. — Passamos pelos Melvin, onde o bebê Ronald brincava nos degraus.

— Bem, talvez. E isso é uma merda. Mas não significa que ele está esquecendo você nem nada. — Ele me acalmou, batendo os dedos contra o volante. — Vai dar certo, Haven. Esta é a pior parte.

Eu sabia que ele provavelmente estava certo. Parecia que toda vez que eu via Sumner ultimamente eu estava diante de uma crise. E sempre, ele dizia a única coisa, a coisa *certa*, que ninguém mais poderia dizer.

— Então, o que você está fazendo por estas bandas?

— Vendendo enciclopédias. É um trabalho novo. Meu primeiro dia, na verdade.

— Vendeu alguma?

— Não, mas três pessoas me convidaram para tomar refrigerante. Uma delas era muito velha, velha demais para enciclopédias, mas olhamos todos os álbuns de fotos e conversamos sobre a guerra.

— Não acho que alguém possa ser velho demais para enciclopédias — retruquei.

— Talvez não — disse ele. — Mas segundo meu manual de marketing, viúvas de 85 anos, com dez gatos e uma casa cheia de antiguidades empoeiradas não escrevem trabalhos a longo prazo.

Mas, ouvi algumas histórias ótimas sobre as grandes guerras. Nada como uma boa história de guerra.

Ele desacelerou, estávamos chegando na minha casa. Ashley estava subindo os degraus da frente, ainda com as roupas de trabalho. Ela usava o maldito avental de laboratório em toda parte.

Nós paramos no meio-fio bem quando ela chegava à porta, mas ela procurava as chaves e não nos notou. Ela não se lembrava do som que o carro fazia, como eu. Me perguntei como ela poderia ter esquecido, mas Ashley sempre foi boa nisso.

Nós a vimos fuçando a bolsa equilibrada no joelho. Ela tirou os cabelos de forma impaciente do rosto, depois os enfiou atrás da orelha. Sob o avental, ela usava um vestido vermelho, que exibia o bronzeado, e sandálias pretas sobre seus minúsculos pés. Pensei novamente em sua adolescência de Barbie, em como eu a invejava, e olhei para Sumner, para a expressão que eu não conseguia interpretar em seu rosto. Me perguntei o que ele estava achando dela, se estaria mais velha ou mais gorda ou simplesmente a mesma da última vez em que ele a viu na varanda, quando ela colocou uma porta entre os dois.

Finalmente ela encontrou as chaves, abriu a porta e a bateu, sacudindo o vidro. Eu ainda não tinha saído do carro.

— Você quer entrar? — perguntei.

— Ah, não. Tenho que voltar ao trabalho.

— No shopping?

— Não. — Ele se mexeu no assento, esticando-se para trás a fim de retirar uma pilha de discos: Lawrence Welk, Jimmy Dorsey e Andrews Sisters. — Estou ganhando cinquenta dólares para dançar com idosas no centro da terceira idade. Elas estão fazendo um baile da saudade, mas faltam homens. Não posso falar que estou sendo pago. Estragaria o espírito da coisa.

— Você dança?

Ele suspirou.

— Claro. Minha mãe achava que ela era Ginger Rogers. Ashley não contou? Eu ensinei todas as danças que ela sabe.

— Eu nem sabia que Ashley sabia dançar.

— Você deveria vê-la valsando — disse ele, colocando os discos de volta no assento. — Ela é incrível. Claro que sempre quer conduzir. Ela não gosta de obedecer, você sabe.

— Eu sei. — Pensei se Ashley estava olhando para nós. — Tem certeza? Não quer mesmo entrar? Mamãe adoraria ver você.

— Não — disse ele, balançando a cabeça. — Não agora. Tenho que ir.

Saí do carro, fechando a porta.

— Obrigada pela carona.

— Bem, você não precisava ir muito longe.

— Não. Mas foi muito legal.

— Tchau, Haven. Fique firme. — Ele ligou o motor, e o barulho aumentou ao máximo; depois se estabilizou. Fiquei na calçada, observando-o partir, e assim que ele virou a esquina, pensei em papai e em Lorna novamente e no bebê com suas orelhas pequenas. Nem mesmo Sumner, seus empregos e piadas conseguiam fazer algumas coisas desaparecerem.

Capítulo Nove

Aquele fim de semana era a abertura oficial das Modelos Lakeview na Prévia do Desfile de Outono da Volta às Aulas. No entanto, o nome fora mudado para "Prévia do Desfile de Outono da Volta às Aulas – Apresentando a Ex-Modelo Lakeview, Gwendolyn Rogers"; alguém tinha andado por ali com um pincel atômico e adicionado isso em todos os cartazes. Pensei em como Gwendolyn estaria se sentindo, se ela ainda ficava com o olhar parado em seu quintal, se andava pelo bairro nas primeiras horas da manhã, ou até se ela ainda se preocupava com as modelos Lakeview, em meio a boatos de seu colapso nervoso. Estive pensando muito sobre Gwendolyn Rogers ultimamente quando me sentava acordada na minha própria cama, olhando para o teto e imaginando o que poderia acontecer em seguida. Às vezes, eu até ouvia o ruído de seus pés na calçada lá fora, o farfalhar dela passando, as respirações entrecortadas, que eu imaginava ser de alguém enlouquecendo. Eu tinha certeza de tê-la ouvido, pelo menos uma vez.

A cidade inteira se voltava para a Prévia da Moda de Outono naquele sábado, e já que a maioria não estava interessada em comprar sapatos infantis, Marlene e eu revezávamos andando até o palco principal e voltando para contar sobre as atividades. No início da manhã, houve um barulhão de cadeiras sendo montadas e pessoas gritando umas com as outras. Por volta do meio-dia, as modelos chegaram e começaram a se aprontar na loja que tinha sido a Holland Farms Cheeses and Gifts até fechar recentemente. Agora havia um sinal na janela da frente que dizia "Área de Preparação de Modelos", com as palavras "Apenas para Pessoal Autorizado", escritas em letras pequenas e firmes abaixo delas. Elas estavam ali, arrulhando e rindo. Dava para ouvi-las de fora, onde todas as meninas mais jovens e as que não tinham conseguido ter sucesso estavam agrupadas, tentando vislumbrar Gwendolyn, as modelos ou qualquer um, mesmo que apenas ligeiramente relacionado com todo o processo. Claro que Sumner estava lá com seu uniforme, carregando uma prancheta e parecendo sério.

Eu tinha saído à uma e meia, pois fizera o turno da manhã, então consegui ver toda a produção. Casey e eu nos encontramos perto do palco e nos sentamos na parte de trás, atrás das mães das modelos, das crianças barulhentas que enchem o shopping todos os dias e de todas as pessoas com máquinas fotográficas tentando conseguir uma boa foto de Gwendolyn Rogers, a supermodelo.

– Não posso nem dizer como eu estava morrendo de vontade de sair de casa – disse Casey quando nos sentamos. Ela estava com outra camisa grandona, desta vez uma velha, de rúgbi, com os cotovelos puídos. – Minha mãe está me deixando louca. Ela não me deixa chegar perto do telefone ou da porta sem me dar uma bronca, e eu sei que ela esteve no meu quarto. – Enquanto ela falava, eu observava o palco, que agora tinha duas divisórias brancas que cobriam as folhas enormes que eu vira há algumas semanas.

– Como você sabe? – perguntei.

– Porque eu monto armadilhas. – Ela cruzou os braços no peito, triunfante. – Deixei um fio de cabelo na gaveta da minha cômoda e na fechadura da caixa onde ponho todas as coisas importantes, e quando verifiquei depois de voltar para casa no outro dia, os dois não estavam lá.

Olhei para ela.

– Fios de cabelos?

– Eu vi em um filme. – Ela jogou os cabelos para o lado e revirou os olhos, uma combinação de movimentos que ela pegou no acampamento junto com todos os outros maus hábitos. – É drástico, eu sei, mas algo tinha que ser feito.

– Mesmo assim ela xeretou suas coisas. Isso não a impediu; só deu para comprovar o fato.

– Então, agora eu tenho munição quando acusá-la de invadir minha privacidade. Digo que posso provar e depois vou vê-la ficar sem graça. – Ela suspirou. – Vai ser feio, mas como eu disse, não há amor na guerra.

– Não é realmente uma guerra, Casey.

– Quase. Você sabe que os pais de Rick não deixam mais ele falar comigo? Sempre que ligo, eles dizem que ele está ocupado, ou se exercitando, ou algo do tipo. Não falo com ele há uma semana.

– Ele não te ligou?

— Acho que sim, mas meus pais não me avisam. Eu juro, Haven, eles querem que eu me sinta péssima. Eles odeiam o Rick e nem o conhecem.

Atrás de nós algum bebê começou a berrar. Era incrível o que um verão podia fazer. Antes do acampamento, a minha melhor amiga, Casey Melvin, era uma ruiva baixinha e atarracada que se encolhia quando apresentada a alguém, não conseguia olhar nos olhos de um carinha e passava todas as tardes de domingo tendo aulas de sapateado com a mãe. Agora ela estava em guerra com os pais, zangada com o mundo em geral e muito paranoica. Pensei se o verão tinha me mudado, se com um olhar o mundo poderia ver a diferença.

— Senhoras e senhores, em nome do Shopping Lakeview, eu gostaria de dar as boas-vindas para a Prévia Anual da Moda de Outono! — Todos olharam em volta para o local de origem do som, já que, em anos anteriores, o desfile se baseou em uma mulher com a voz alta, que gritava os comentários ao lado do palco. A voz vinha de um alto-falante montado sobre uma planta bem atrás de nós: o Shopping Lakeview estava com alta tecnologia. — E para começar a nossa festa, temos uma convidada muito especial. Vamos dar nossas boas-vindas à nossa ex-modelo Lakeview, uma garota da nossa cidade, Gwendolyn Rogers!

Então, todos olharam para o palco, aparentemente pensando que Gwendolyn subitamente apareceria do nada, assim como aquela voz, e lá estava ela, alta e fantasmagórica, caminhando lentamente pelo corredor central, enquanto as cabeças viravam, fileira a fileira. Ela estava horrível, o rosto encovado, os famosos lábios de Gwendolyn que surgiam carnudos em todas as páginas de revistas agora estavam flácidos e finos, os cabelos pareciam grudados na cabeça, até mesmo um pouco embaraçados. Ela usava uma saia curta, uma blusinha de seda amassada e sandálias que arrastavam no chão a cada passo que ela dava. Mas era o caminhar que era o mais estranho, após tê-la visto andando de passarela em passarela, em vídeos de música e na televisão, com a cabeça erguida e os quadris se movendo ao som da música, olho na câmera, como se ela soubesse como era invejada. Agora, ela estava hesitante, dava passos inseguros e se mantinha tensa embora tivesse todo o corredor enorme para se espalhar. Todos aplaudíamos porque era preciso, mas ela parecia perdida e desconfortável, e quando chegou ao degrau que levava ao palco, me vi suspirando de alívio por ela ter conseguido chegar lá. Os aplausos diminuíram enquanto Gwendolyn subia os degraus. A locutora oficial do Shopping Lakeview a esperava com sua prancheta. Ela estava exuberante, mas, de repente, o sorriso murchou, e ela franziu a testa, hesitante ao ver Gwendolyn, como se esperasse que ela caísse no lugar.

A mestre de cerimônias a cumprimentou e a conduziu ao púlpito. Gwendolyn, bem mais alta que ela, postou-se atrás do microfone e olhou para nós com o mesmo olhar apagado e perdido que eu tinha visto no outro dia. Ela deu um pigarro e depois se assustou ao ouvir o som ecoando de um alto-falante para outro. Pensei que ela poderia estar sedada.

— É assustador. — Casey cochichou para mim, e eu concordei com a cabeça. A mulher na minha frente disse em voz alta:

— Ela parece drogada, ou algo assim. Que ótimo exemplo para as crianças. Ela nem deveria estar no palco.

— Psiu — retrucou o amigo dela.

— Só estou dizendo... — prosseguiu a mulher, mexendo-se na cadeira. — E olha só aquele cabelo.

Todos estávamos olhando.

A mestre de cerimônias, ao lado de Gwendolyn, ficou na ponta dos pés e sussurrou algo em seu ouvido, mas o rosto Gwendolyn não se alterou. Ela pigarreou novamente, e nós esperamos.

— Obrigada por terem me recebido — ela começou devagar, e todos nós relaxamos um pouco. As coisas iam dar certo. — É um verdadeiro prazer estar aqui vendo uma nova geração de Modelos Lakeview.

A mestre de cerimônias começou a aplaudir, aparentando nervosismo, então, todos se juntaram a ela. Gwendolyn ainda olhava para a parte de trás do shopping. Houve um silêncio longo demais. Queria que as palavras brotassem da boca dela, qualquer som que a fizesse superar tudo aquilo. As mãos seguravam as laterais do púlpito, as pontas dos dedos brancas pela pressão. Era como se a Gwendolyn que todos nós conhecíamos e aguardávamos tivesse ficado para trás naquelas páginas atraentes de revistas — ou nunca sequer tivesse existido. Ela abriu a boca, tomou o ar; fechei os olhos, até ouvir a voz dela ecoar à minha volta.

— Assim, sem mais demora, vamos começar o desfile deste ano. — A voz era sem emoção, monótona, e quando a mulher a conduziu para fora do palco para o lugar de honra na primeira fila, Gwendolyn passou os dedos nos cabelos longos e embaraçados, ocultando o rosto enquanto passava. Assim que se sentou, a cabeça dela se destacou sobre a multidão, e vi como as pessoas atrás dela, não mais encantados, resmungaram e se reorganizaram nos lugares.

De repente, houve uma explosão de música, tão alta que uma mulher atrás de mim chegou a gritar. Era disco, uma batida rápida e muitos sons tecno com bipes e bipes, juntamente com a ocasional voz alta e ofegante de uma mulher. Nós todos olhamos para o palco, à espera de algo, enquanto a música batia atrás de nós. Então, as divisórias se separaram lentamente (com a ajuda de Sumner e de outro cara de uniforme, que se esforçaram para ficar fora da vista), revelando as folhas que eu tinha visto antes. No entanto, agora havia luzes rodopiando por elas, azuis, verdes, vermelhas e amarelas, pegando pedaços com glitter que eu não tinha reparado até o momento. Foi tudo um pouco emocionante, com certeza uma grande mudança do desfile do ano anterior, que consistiu em uma figueira solitária pela qual as modelos passavam, posavam ao redor, e depois saíam pela beira do palco para o grande final, quando jogaram folhas para o público, simbolizando o outono. Esse desfile tinha sido o mais inovador até este ano.

De repente, a música parou, e as luzes bateram fixas sobre as folhas, cada uma com cor diferente. A voz desencarnada surgiu novamente: – Senhoras e senhores, por favor, juntem-se às modelos do Lakeview enquanto viajamos até o outono. Um outono de expectativas... de novas ideias... e de potencial. Venham, venham conosco...

– Ai, pelo amor de Deus – alguém atrás de nós disse em voz alta.

– ... para um mundo de cor e estilo, do *tweed* ao xadrez escocês, da realidade e da imaginação. Feche os olhos e sinta o ar fresco, as cores vivas das folhas e os sonhos de inverno. Venham, venham, e viagem com a gente... até o Outono na Moda...

As luzes começaram a girar novamente, a música surgiu à toda e, de repente, as modelos começaram a caminhar pelo palco, todas sorrindo com todos os dentes, sensuais como se não fosse da conta de ninguém. A primeira foi uma garota de boina que se precipitou na passarela agitando o chapéu e o deixou cair sobre uma mulher na segunda fila, que pareceu não ter certeza se deveria jogá-lo de volta ou ficar com ele. A garota da boina foi substituída por outra com casaco comprido de *tweed* que o tirou e o arrastou de forma dramática pela passarela com tamanho abandono que alguém atrás de mim começou a especular sobre o custo de uma limpeza a seco. A garota seguinte marchou pela passarela com jeans rasgado e botas militares, jogando os cabelos, rebolando de modo sugestivo, rindo para a gente. Umas senhoras mais idosas, provavelmente lembrando-se do calmo desfile da figueira no ano anterior, fizeram um agito ao saírem revoltadas.

Depois, só piorou. A música mudou para apenas uma mulher gemendo, cada vez mais, e uma garota saiu com botas de couro preto na altura dos quadris, provocando uma enxurrada de exclamações pela multidão, e outro grupo de pessoas se aprontando e se erguendo para sair. As modelos estavam absortas, a maioria fazia questão de desfilar especificamente para Gwendolyn Rogers, como para provar que elas eram exatamente como Gwen, *modelos* de verdade. A cabeça dela, no entanto, estava inclinada para a frente, como se até mesmo assistir fosse demais para ela.

Para o *grand finale* que sempre era uma amostra de roupas de noite para bailes e danças de Natal, as modelos saíram com vestidos pretos justos e saltos altíssimos, com os cabelos puxados para trás e os lábios vermelho-vivos, o resto do rosto branco e pálido, como se estivessem muito doentes. Eles pararam para posar, esperando que os aplausos explodissem.

Nós aplaudimos, os poucos que restaram, e observamos o diretor do desfile, um carinha jovem de terno roxo com um walkie-talkie na mão, aparecer para agradecer. Pensei se ele percebeu que a diretoria inteira do Shopping Lakeview provavelmente o esperava fora do palco, pronto para lhe torcer o pescoço. Quando trouxeram Gwendolyn de volta para falar com as modelos, não havia muitas pessoas na plateia, o que provavelmente foi uma coisa boa.

Elas se amontoaram com Gwendolyn no meio, e as modelos riam e ofegavam e se embaralhavam para se aproximar, os lábios vermelhos e brilhantes. Enquanto o fotógrafo tirava fotos, ela estava pálida no centro, mais alta que todas com os vestidos pretos, cabelos puxados para trás, pele pálida e lábios assustadores de Halloween, olhando para baixo enquanto todas se amontoavam em torno dela. E então, bem quando todas preparavam mais uma vez seus sorrisos para a máquina fotográfica naquele grande evento, Gwendolyn Rogers caiu em prantos.

De início, ninguém sabia como reagir; de repente, ela apenas chorava, as lágrimas correndo pelo rosto e ela em pé lá, cercada por aquelas garotas que queriam ser exatamente como ela. As modelos se movimentaram, incertas, como se pudessem pegar qualquer coisa que ela tinha pelo contato, como se a melancolia fosse contagiosa. Ninguém fez nada para ajudá-la.

Então eu vi a senhora Rogers, vindo pelo corredor central, a bolsa apertada contra o quadril, quase correndo, mas tentando aparentar calma. Ela subiu as escadas e surgiu por trás de Gwendolyn, que soluçava e que me fez sentir um pouco envergonhada por ela. Eu nem a observava, concentrando-me em um chiclete preso no chão. Eu as ouvi passar, a voz da senhora Rogers suave e calma, dizendo:

– Você precisa descansar, querida.

Gwendolyn em pedaços, respondeu:

– É tão terrível, elas simplesmente não sabem como é terrível, essas pobres garotas.

Casey as observava, atenta, depois bateu no meu ombro.

– Vamos sair daqui.

Assenti com a cabeça e a segui. Fizemos nosso caminho pelo corredor central que, de repente, ficou coalhado de mães de modelos (a maioria das quais mordiscava os lábios e olhava irritada), alguns homens de terno com olhares tensos (eu tinha certeza de que era o pessoal da gerência do shopping) e um punhado de mulheres falando baixinho como aquilo tudo era chocante. Perdi Casey em meio ao perfume e caos geral, depois a encontrei esperando por mim ao lado de um vaso repleto de samambaias.

– Dá para acreditar nisso? – ela me perguntou quando começamos a andar na direção da Little Feet. – Um colapso nervoso geral, bem no meio da Prévia de Moda do Outono. Ela está completamente perdida. Está louca.

– Puxa, Casey – falei, de repente, nervosa que Gwendolyn ainda pudesse ouvir. – Ela está doente.

– Ela está maluca, Haven – disse ela com autoridade, tirando um pacote de chicletes e me oferecendo um pedaço. – Linda e louca. Que combinação.

Estávamos indo até o Sumner agora, que estava ocupado conversando com uma mulher com um bebê agarrado ao quadril e uma criança ligada ao pulso por uma dessas correias de prender. O garoto forçava, arrancando para a loja de brinquedos, mas continuava sendo impulsionado para trás, perdia o equilíbrio e caía no chão. A mãe estava muito ocupada com Sumner para perceber.

– Eu não sou do tipo de pessoa que normalmente reclama – ela dizia quando nos aproximamos o suficiente para ouvir. – Mas eu realmente sinto que foi apenas uma exibição repugnante e totalmente desnecessária. Não é o tipo de roupa que uma garota usaria para ir à escola. O que aconteceu com as malhas xadrez? Com as *leggings* e as calças? E aqueles blusões bonitos com desenhos de rena?

— Não sei, minha senhora — Sumner falou com a voz grave. — Eu realmente não sei dizer.

— Bem, isso só me irrita. — Ela puxou a correia, derrubando a criança, que tinha conseguido fazer algum progresso, novamente no chão. — Eu sinto que está enviando a mensagem errada, sabe? Eu não associo reboladas com lição de casa e não acho que qualquer outra mãe que gasta dinheiro neste shopping faz isso também.

— Eu entendo totalmente — disse Sumner. Então, ele me viu e sorriu. — Sugiro entrar em contato com a gerência do shopping. Tenho certeza de que eles entenderão o que a senhora está dizendo. Aqui está o número, ou se quiser escrever uma carta...

— Sim, uma carta pode ser melhor. É sempre melhor colocar tudo por escrito, não é?

— É verdade. — Sumner escreveu algo em um cartão e entregou para ela. — É com ele que a senhora deve falar. Caso resolva telefonar, ele não trabalha nas terças.

— Obrigada. — Ela colocou o cartão na pochete e se debruçou sobre a criança, que agora estava sentada no chão comendo um papel de bala sujo. Vimos que ela o fez levantar, ajustou o bebê ao quadril, e eles desceram pelo shopping juntos, a correia pendurada.

— Oi – disse Sumner, vindo até a gente. – Que desfile, hein?

Casey ficou apenas olhando para ele, com um brilho repentino nos olhos de que não gostei, então eu os apresentei:

— Sumner, esta é a Casey. Casey, este é o Sumner. Ele é um antigo...

— ... amigo da família — Sumner interrompeu. — Gosto de pensar que sou mais que apenas um entre a multidão dos ex-namorados de Ashley. Quero acreditar que deixei a minha marca.

— Com certeza — respondi. Ele tinha que saber como ele era importante. — Você foi o melhor de todos.

— Eu não diria isso. — Ele riu.

— Quantos anos você tem? — Casey perguntou, a cabeça inclinada como se ela fosse Nancy Drew resolvendo um enigma.

— Vinte e um — respondeu Sumner, olhando para seu uniforme. — E dá para ver, não é?

— Na verdade não — disse Casey, e sua voz estava diferente, longa e arrastada. Também não gostei do jeito que ela ficou em pé, toda gracinha com sua camisa enorme e cortes, sorrindo para Sumner como se ele fosse um carinha do acampamento.

— Bem, é melhor a gente ir embora — sugeri, querendo seguir em frente. De repente, eu não tinha tanta certeza de querer compartilhar Sumner com Casey, que via os caras só como pessoas de quem tomar camisas e para ficar de suspiros. Não tinha certeza se queria compartilhá-lo com ninguém. — Eu tenho que ir embora.

— Não tem não — respondeu Casey, usando a mesma voz em mim agora, alta e jogando charme. — Puxa, Haven sempre tem que ir para casa e fazer alguma coisa, não é? Ela é uma boa menina.

— Não sou — retruquei, olhando para ela.

— Ai, meu Deus, honestamente. Qualquer pessoa parece má comparada a você, Garotinha Que Faz Tudo Que Qualquer Pessoa Queira Que Você Faça.

Sumner olhou para mim e disse:

— Ah, mas você não conhece Haven como eu.

— Eu a conheço toda a minha vida — Casey retrucou, agora mascando o chiclete, que ela achava que a fazia parecer legal (ela estava errada). — E eu sei.

— Ela é selvagem — completou ele, sorrindo para mim, inventando isso na hora. Adorei cada pedacinho disso. — Talvez algum dia ela lhe conte sobre isso.

Casey olhou para mim, ainda mascando.

— Você deve estar falando de outra garota, Sumner.

— Não. É ela — disse ele, apontando para mim enquanto ele se virava para ir embora. — Eu sei. Pegue leve, hein, Haven. Prazer em conhecê-la.

— O prazer foi meu — Casey falou, respondendo com um agitar de dedos. Ela esperou que ele sumisse no meio da multidão e disse: — Por que você não me contou sobre esse cara? Ele é uma graça.

— Ele é só o Sumner — respondi. — Ele namorou a Ashley há um tempão.

— Bem, ele é um puta cara — disse ela, usando outra expressão que pegou no acampamento. — Todo esse tempo você está atrás de um carinha no shopping e nem me contou.

— Não é bem assim.

— Por que não? Você deveria estar atrás dele, divertindo-se. Ele já parece gostar de você. Dá para imaginar, você namorando um cara da faculdade? Seria demais!

— Ele é meu amigo — disse eu, espantada que Casey poderia tomar Sumner de mim e transformá-lo em outra coisa, algo quase sujo. Não era assim que ele era para mim.

— Seja o que for — disse ela, ainda estalando o chiclete. — Se fosse comigo, eu estaria atrás dele.

— Você não entende — refutei baixinho, não querendo falar mais sobre isto. Eu e Sumner? Isso era ridículo. Ele era ex-namorado de Ashley, pelo amor de Deus. E Casey não entendia porque não conseguia entender. Ela não tinha visto sua vida toda mudar nos últimos anos, não teve tudo tirado dela. O reaparecimento dele era prova de que o tempo do qual eu sentia saudade realmente acontecera. Neste verão, Sumner era exatamente o que eu precisava.

Capítulo Dez

A contagem regressiva do casamento, de repente reduzida a um dígito, prosseguia. A oito dias de o Grande Dia chegar, Ashley fez sua festa de despedida de solteira, o que lhe permitiu uma semana inteira para se recuperar da noite de bebedeira, risos e da atividade secreta geral, que suas amigas planejavam desde o noivado. Ouvi mamãe dizer algo a Lydia Catrell sobre *strippers* e tequila, mas, como eu era menor, fui com todo mundo para o jantar e depois deixada sem cerimônia no gramado da frente, enquanto o resto do grupo saiu em disparada para lugares desconhecidos. Fiquei vendo televisão até tarde, adormeci no sofá com o controle remoto ainda na mão, depois acordei com barulho na porta da frente. A campainha tocou algumas vezes, em meio a uma explosão de risos, o bater de portas de um carro e o som de uma buzina. Abri a porta e encontrei minha irmã estatelada na varanda, sem um dos sapatos, usando o que parecia ser roupa de baixo ao redor do pescoço; ela resmungava.

— Ashley? — Eu não tinha muita certeza do que fazer. — Você está bem?

— Hahã. — Ela virou e ficou deitada de costas, com o rosto vermelho. — Haven.

Debrucei sobre ela, senti o bafo e depois me afastei. Do outro lado da rua, Pato-cão começou a latir.

— Sim?

— Me ajude a entrar. — Ela estendeu a mão, acenando o braço bambo para mim. Eu a agarrei e a puxei pela soleira, batendo a cabeça dela na porta.

— Ai — ela reclamou. — Doeu!

— Desculpe.

Estávamos dentro agora, então deixei o braço dela cair e chutei para fechar a porta. Senti pena dela, deitada no chão com a cabeça ao lado do porta-guarda-chuvas, então eu a puxei um pouco mais perto do pé da escada e a arrumei em posição semiereta. *Era* roupa de baixo no pescoço dela, cor-de-rosa e não era de garota. Ela também estava com uma coleção de misturadores de coquetéis espetados nos cabelos, de cores variadas. Ela tentou passar a mão no rosto, bateu no nariz, depois largou a mão lá e gemeu baixinho.

Fazia um bom tempo que eu não via Ashley bêbada. Em seus anos mais loucos, na época da escola, ela sempre era pega entrando após o toque de recolher, com a boca cheia de balas Certs e a fala arrastada. Minha mãe sempre sabia. Na manhã seguinte, Ashley ficava de castigo com ressaca, e mamãe passava o aspirador do lado de fora da porta do quarto bem cedo e animada, fazendo questão de bater o aparelho na parede, esforçando-se para chegar aos cantinhos mais inacessíveis. Mais de uma vez, eu acordei ao som de Ashley vomitando no banheiro, que ela pensava estar tão habilmente disfarçando com o uso do chuveiro e do ventilador do exaustor. Meus pais nunca foram enganados, sequer por um minuto. Eles trancavam o armário de bebidas, faziam um teste de bafo todas as noites e, por fim, Ashley superou a fase, assim como superou os jogadores de futebol, os shorts curtinhos e Sumner, não necessariamente nessa ordem. Lewis não bebia, não se drogava, nem mesmo era mal-humorado. Lewis não tinha vícios, e Ashley desistiu de tudo para se tornar insípida como ele. Pelo menos até hoje à noite. Talvez as amigas soubessem que este era o seu último suspiro, sua última chance de curtir a selvageria pela qual ela já fora famosa. Agora eu olhava para minha irmã, caída ao pé da escada, e pensei em como eu sentiria falta dela quando ela se fosse.

— Ashley? — Ela ainda estava com a mão sobre o rosto, os olhos fechados agora. Abaixei e apertei seu ombro. — Vamos, pelo menos até o sofá. — Agachei-me ao lado dela, minha pequena irmã, e coloquei um braço sobre os ombros, ajudando-a a se erguer. Tropeçamos juntas até a sala, onde eu a conduzi até o sofá e a cobri com uma manta, tirei o sapato e os misturadores de coquetéis dos cabelos um a um. Deixei a cueca, só por birra, por todas as vezes em que ela tinha sido malvada comigo nos últimos meses. Algumas coisas são merecidas, entre irmãs.

Fui para a cozinha, peguei uma lata de lixo, que coloquei perto da cabeça dela caso as coisas piorassem mais tarde, e bem quando eu estava saindo para subir, ela murmurou algo, depois disse mais alto:

– Ei.

– O quê? – Ela era apenas um amontoado no sofá agora, no escuro. Sobre a mesa de café, perto dos misturadores de coquetéis, pude ver uma pilha de listas de mamãe, tudo em papel adesivo amarelo, largada no pouco de luz que passava pelas cortinas.

– Venha conversar comigo – pediu ela, e ouvi o sofá ranger enquanto ela lentamente se virava. – Haven.

Sentei-me na cadeira ao lado do sofá, puxando as pernas até meu peito. Eu podia me lembrar de quando eu me encaixava perfeitamente, mergulhando em almofadas profundas, quando os meus pés nem tocavam o chão. Agora eu me contorcia, ligando um cotovelo com um joelho, só para caber no pequeno espaço. Não disse nada.

– Eu vou sentir sua falta, sabe? – declarou ela, de repente, com a voz mais clara que antes. – Sei que você não acredita nisso.

– Achei que você não via a hora de sair.

Ela riu, uma risada muito mole, muito comprida.

– Ah, sim, não posso ficar mesmo. Quero dizer, eu amo Lewis. Eu o amo, Haven. Ele é o único que realmente se importava comigo.

Nada de novo. Assenti com a cabeça, mesmo sabendo que ela não podia me ver no escuro.

– Tudo vai ficar bem, Haven. Você sabe disso, né? Você sabe... – Ela estava divagando agora, com a voz mais suave, depois mais alta, caindo no sono. – Mamãe, papai e tudo, tudo vai ficar bem. E Lorna. E eu e Lewis. Não podemos ficar tristes com isso para sempre, não é? Temos que pensar nos bons momentos, Haven, e nos lembrarmos deles, isto é tudo que podemos fazer. Não podemos nos preocupar com o passado ou com o que aconteceu no final, não mais. Não posso e você não pode.

— Não me preocupo — sussurrei baixinho, esperando ela adormecer.

— Preocupa sim — disse ela, calmamente, com a voz abafada pela manta. — Consigo ver isso em seu rosto, em seu olhar. Você tem que crescer, sabe? Não é culpa de ninguém. Passamos bons momentos, você entende? Algumas pessoas nem mesmo têm isso.

Vi uma sombra passando na rua do lado de fora e, de repente, pensei em Gwendolyn ficando maluca, então disse:

— Vá dormir, Ashley. Está tarde.

— Tivemos nossos bons momentos — ela murmurou, mais para si do que para mim, se é que ela estava realmente conversando comigo.

— Como naquele verão, na praia. Foi perfeito.

— Que verão? — Sentei-me agora, ouvindo atentamente. — Qual?

— Na praia... você se lembra... Com mamãe e papai no hotel, jogando frisbee todas as noites, a noite toda. Lembra-se, Haven? Você precisa se lembrar disso e tentar esquecer o resto... — A voz desapareceu, abafada.

— Sumner estava lá, lembra-se, Ashley? Sumner estava lá o tempo todo, e vocês eram tão ótimos juntos, lembra? Ele era o máximo.

— O máximo — ela repetiu no mesmo tom sonolento e mole. — Ele era o máximo.

— Não sabia que você se lembrava — declarei, inclinando-me mais perto. — Pensei que você tinha se esquecido. — Aguardei a resposta dela, mas ela estava longe, sua respiração regular e suave. — Pensei que você tinha se esquecido — repeti de novo, calmamente, e puxei a manta arrumando-a apertadinha em torno dela, acariciando seus cabelos, e fiquei sentada por um tempo no escuro, vendo minha irmã sonhar.

Na manhã seguinte, Ashley passou três horas no banheiro, gemendo e dando descarga, enquanto mamãe e eu estávamos em pé do lado de fora da porta, pensando se deveríamos interferir. Finalmente, no início da tarde, ela surgiu após um banho, parecendo um tanto devagar, mas viva. Lewis apareceu meia hora depois, com Pepto-Bismol, ginger ale e biscoitinhos salgados. Que cara aquele, o Lewis.

— Não consigo acreditar que elas me largaram na varanda — Ashley dizia enquanto eu saía da cozinha, naquela tarde. Ela e Lewis estavam à mesa discutindo detalhes do casamento. Ela estava com as pernas sobre o colo dele, e ele lhe massageava os pés.

— Que amigas.

— Elas devem ter achado que seria engraçado — disse Lewis com sua voz calma e uniforme. Ele usava uma camisa de botões no colarinho, cor pastel, e shorts xadrez, uma verdadeira explosão de cores ao lado de Ashley, com sua calça de moletom cinza e camiseta branca. Ela mordiscava um biscoitinho salgado, comendo pelas bordas.

— Bem, não foi. — Ela tomou outro gole de ginger ale. — Se não fosse por Haven, talvez eu tivesse morrido.

— Não, você só teria acordado na varanda — respondi.

— Preferia morrer. Você pode imaginar o que os vizinhos iriam pensar? — Durante a noite, minha irmã tinha envelhecido outra vez, preocupada com as consequências. Senti falta da idiotice vacilante dela na noite anterior, pendurada no meu braço com os cabelos no rosto.

— Bem, se você não tivesse saído para beber e feito o que fez... — Lewis disse com um tom censura, verificando algo da lista.

— Cale a boca. — Ashley esbravejou, remexendo os pés no colo dele.

— O que você fez? — perguntei a ele, puxando uma cadeira e me sentando ao lado deles.

— Fomos jantar e depois a um jogo de beisebol — Lewis disse de forma positiva. — Lá eu tomei duas cervejas e cheguei até a minha própria cama sem nenhum incidente.

— E sem uma cueca enrolada no pescoço. — Eu o interrompi, pegando um biscoitinho.

De repente, eu soube, mesmo sem erguer os olhos, que eu tinha dito alguma besteira. Uma grande besteira. Tive a sensação de olhos perfurando meu pescoço rígido. Quando ergui a cabeça, Ashley me encarava, a boca torcida naquela linha tensa que significava que eu estava em apuros.

— Cueca? — zangou-se Lewis, voltando a encará-la. — Que história é essa de cueca? Não soube de nada de cueca.

— Não é nada. — Ashley o acalmou, lançando-me um olhar mortal.

— Uma cueca não é nada? — esbravejou Lewis, mexendo-se na cadeira para que os pés dela caíssem de seu colo para o chão. — Você falou que só foi jantar e que tomou margaritas demais. Você não mencionou nada, mesmo remotamente relacionado a roupas íntimas.

— Lewis, por favor. Nós fomos àquele lugar, antes de virmos para casa. Não ficamos muito tempo, era idiota, mas elas disseram para o cara que eu ia me casar e então ele...

— Ai, meu Deus! — exclamou Lewis, atirando o lápis para longe. — *Strippers*? Você ficou com *strippers* na noite passada?

— Não *strippers*, Lewis — Ashley falou com a voz cansada. — São dançarinos exóticos, e eu nem queria ir. Foi ideia da Heather.

— Não acredito nisso. — Lewis olhou para mim, como se eu pudesse ajudar, e eu desviei o olhar para a mesa. — Prometemos que não faríamos nada dessa coisa tradicional, Ashley. Você fez uma promessa.

— Lewis, não faça isso. Foi só uma coisa idiota.

Lewis cruzou as pernas, um hábito que sempre fazia meu pai estremecer.

— Você tocou nele?

— Na verdade não. — Ashley suspirou.

Houve um silêncio, e eu pensei em fazer uma retirada rápida, mas quando me movimentei para sair senti o pé de Ashley no fundo da minha cadeira, segurando-a no lugar.

— Na verdade não... — Lewis repetiu lentamente. — Então... isso seria um sim.

— Não é que eu *tenha tocado* nele — Ashley falou rapidamente —, mas ele dançou na minha frente e eu tive que colocar dinheiro na sua... coisa... porque é rude se você...

— Na sua coisa? — Lewis deu um grito. — Você tocou na coisa dele?

— Na cueca dele... — respondeu Ashley. — Puxa, Lewis, na cueca dele, pelo amor de Deus!

— A mesma que estava no seu pescoço, certo? — Lewis se levantou, empurrando a cadeira para trás. — Não quero ouvir sobre isso, tá? Uma semana antes do meu casamento, e minha noiva está fora colocando as mãos em homens estranhos... Eu só não consigo pensar nisso agora.

— Lewis, não faça isso — pediu Ashley, cansada e com ressaca demais para encarar uma grande briga. — Como eu disse, foi apenas uma estupidez.

— Bem, é claro que *esta* promessa não significou muito para você — Lewis falou asperamente. — Então eu me pergunto se alguma das outras vai significar.

— Oh, por favor — disse Ashley, revirando os olhos. — Estou cansada demais para lidar com seus dramas, Lewis. Vamos esquecer isso.

Lewis apenas olhou para ela, com seus tons pastel e xadrez.

— Acho que preciso de um tempo longe de você, Ashley. Preciso ir agora. — Dito isso, ele caminhou com firmeza até a porta, abriu-a e saiu com um grande floreio ao fechá-la. Ashley só o viu sair, depois olhou para mim.

— Muito obrigada, Haven — disse ela friamente. — Muito obrigada mesmo. — Ela se levantou e bateu o copo na mesa, depois saiu pela mesma porta, chamando-o.

Fiquei sentada à mesa sabendo que eu deveria me sentir mal. Mas não me senti. Eu sabia que devia isso a Ashley por algo desagradável que ela fizera para mim no passado, e houve várias ocasiões ao longo dos anos. De certa forma, este sentimento de maldade para desempatar as coisas foi muito divertido. Ouvi-os brigando lá fora e pensei em Ashley na noite anterior, dizendo para eu me lembrar de quando as coisas eram boas. Eu me recostei, ouvindo, e me concentrei nesse momento, o meu último ato de vingança contra a minha irmã, e o saboreei.

Era bem tarde da noite quando recebi uma ligação de Casey. Nem sequer reconheci sua voz no começo, uma voz que eu tinha ouvido toda a minha vida. Ela parecia estar engasgada, ou ter um resfriado.

— Preciso falar com você — ela se apressou, assim que peguei o telefone que Ashley tinha deixado pendurado no chão, escancarado para mim. Ela ainda estava louca, embora Lewis a tivesse perdoado antes mesmo de ele chegar até a calçada. – É importante.

— Está bem. Eu vou para aí?

— Não – respondeu ela rapidamente, e ao fundo eu podia ouvir Bebê Ronald gritando. – Vamos nos encontrar no meio do caminho. – Agora mesmo, está bem?

— Claro. – Desliguei, procurei meus sapatos, depois fui até a sala, onde minha mãe, Lydia e Ashley assistiam *Murder, She Wrote* e faziam listas. – Vou caminhar com a Casey.

— Ótimo. – Mamãe mal ergueu o olhar, sua mente no grupo musical, nas recepcionistas e nos arranjos de flores.

— Volto até as dez.

Quando saí no ar espesso de verão, ouvi apenas cigarras cantando nas árvores ao redor de nossa casa. Estava quente e úmido; deixei meus sapatos na varanda, andando descalça pela calçada, passando por casas com luzes febris e o som dos televisores flutuando das janelas abertas. Pude ver Casey vindo da outra direção, caminhando rapidamente e tirando os cabelos do rosto. Nós nos encontramos no meio do caminho, perto da caixa de correio diante da casa dos Johnson.

— É horrível – disse ela, sem fôlego. Ela fungava. Não. Chorava, e continuou andando, comigo em compasso atrás dela. – Não consigo acreditar!

— O quê? – Eu nunca a tinha visto daquele jeito.

— Ele terminou comigo – disse ela, aos prantos. – Aquele desgraçado, ele terminou comigo por telefone. Agora há pouco.

— Rick? – Eu o imaginei em todos os pacotes de fotos brilhantes 9 x 12 cm, sempre sorrindo para a câmera, um estranho da Pensilvânia.

— É — respondeu ela, enxugando o nariz com as costas da mão. — Eu preciso sentar. — Ela se atirou na calçada e puxou os joelhos contra o peito, afundando o rosto nas mãos.

— Casey... — Cheguei a colocar meu braço nos ombros dela, sem saber como agir ou o que dizer. Foi a primeira vez que isso acontecia para nós. — Sinto muito.

— Eu fiquei ligando tanto, mas ele nunca estava em casa, certo? E eu deixava todos aqueles recados... — Ela parou e enxugou os olhos. — E a mãe dele me dizia que ele estava fora ou ocupado e, finalmente, ele me ligou hoje e disse que ela o forçou a ligar. Haven, o tempo todo, ele mandava ela me dizer que não estava em casa. Ele só não queria falar comigo.

— Ele é um idiota — retruquei, na defensiva, ouvindo aquele tom de recriminação em minha própria voz que eu reconhecia de Lydia Catrell conversando com mamãe todas aquelas manhãs.

— Ele só estava esperando que eu acabasse perdendo o interesse... Ele sequer teve a coragem de me ligar e dizer que estava com uma nova namorada. Ele fazia a mãe mentir para mim, Haven. — Ela soltou pequenos ruídos de soluços, soluços irregulares. Continuei acariciando seu ombro, tentando ajudar. — Puxa, fui tão idiota. Eu estava indo para lá.

— Ele é um babaca. — Visualizei Rick, alguém que eu não conhecia, à espreita do outro lado de uma linha telefônica, murmurando baixinho as palavras *eu não estou aqui*. Eu odiava Rick agora.

— É tão horrível — choramingou ela, descansando a cabeça no meu ombro e chorando muito enquanto eu passava meu braço em volta da cabeça dela e a abraçava. — Dói tanto!

Eu nunca estive apaixonada, nunca senti aquela onda positiva de sentimento ou essa queda total. Só observava enquanto os outros resistiam: mamãe em seu jardim, Sumner no gramado da frente todos esses anos, Ashley soluçando do outro lado da parede. Sentada na calçada com minha melhor amiga, Casey Melvin, eu a abraçava, tentando acalmar um pouco da dor. Há tão pouca coisa que você pode fazer nessas situações. Ficamos sentadas juntas ali no nosso bairro, pertinho do meio do caminho, e Casey chorava.

Capítulo Onze

A contagem regressiva chegou a três dias até o casamento. O ritmo da casa parecia maluco, com o telefone tocando à toda, os arranjos de viagem para os parentes que vinham, e Ashley tendo um ataque a cada cinco segundos. Mamãe e Lydia montaram o quartel-general na mesa da cozinha com todas as listas, planejamentos e convites de última hora cobrindo o espaço inteiro. Para preparar minha Pop-Tart[5] matinal, mudei-me junto com a torradeira para o balcão.

Enquanto isso, o resto do mundo seguia seu curso, embora fosse difícil imaginar como. Casey ainda sofria, trancou-se no quarto e se recusou a comer por três dias, até a mãe levá-la

---

[5] Marca de biscoito recheado muito popular nos Estados Unidos. (N.E.)

às compras, ao salão de beleza e a um novo curso de sapateado. A vida seguiria o rumo para Casey, com Rick se restringindo às fotos em um álbum.

Papai e Lorna retornaram de uma viagem promocional para as Bahamas pelo Canal 5 de notícias, onde acompanharam um grupo de espectadores que venceu um concurso envolvendo generalidades sobre esportes e clima. Papai retornou com mais cabelo ainda, bronzeado e sinos de vento de conchas para mim, que pendurei do lado de fora da janela do meu quarto, onde ressoaram a noite inteira, até Ashley reclamar que não conseguia dormir e exigir que eu os tirasse. Concordei, ressentida. Ultimamente me ressentia de todos.

Começou logo após a despedida de solteira da Ashley e do fora da Casey. Um sentimento com o qual acordei certa manhã, um chiado nos ouvidos e a instabilidade do mundo, como se tudo subisse à cabeça. No espelho do banheiro eu me olhava nos olhos, para ver se via algo novo neles, espantoso e diferente. Me sentia forte, como se cada músculo em meu corpo fosse esguio e retesado e eu não fosse mais ossuda nem rangesse. Como se finalmente eu tivesse crescido em mim mesma. Ouvia as coisas de modo diferente, os sons da vizinhança e das cigarras à noite, minha própria respiração, regular e profunda. Tudo se intensificou, do azul brilhante do céu à sensação de grama escorregadia sob os pés até o som da voz de mamãe chamando meu nome do quarto ao lado. Era assustador e animador, inquietante e surpreendente ao mesmo tempo.

A véspera do casamento de Ashley também era o primeiro dia de Ofertas Quentes de Verão no Calçadão do Shopping Lakeview, que consistia basicamente em tirar das lojas tudo o que encalhou e não vendia mais, cortar os preços pela metade e observar os compradores agarrarem a mercadoria. Eu tinha que chegar ao serviço supercedo, às sete da manhã, para ajudar a colocar um pé de cada par de sapatos feios do depósito para uma mesa lá fora, postar-me ao lado e evitar roubos, enquanto meu chefe, o Burt, revirava o depósito à procura do outro pé correspondente. Havia muito barulho, e o shopping estava uma loucura com as pessoas revirando as mercadorias e me empurrando na procura insana por uma pechincha. Mesmo nessa confusão toda, com o Burt buzinando no meu ouvido que a minha cota de meias estava baixa, então Dá-lhe Meias, Dá-lhe Meias, e a música de elevador do shopping berrando Barry Manilow e todas as mãos na minha frente, todas as cores e todos os tamanhos, agarrando os sapatos diante de mim, eu sentia aquela calma estranha, a sensação de flutuar que me seguia há alguns dias. Como se eu estivesse acima daquilo tudo, pairando, e nada me afetasse.

Do nada, uma mulher agarrou a minha mão e perguntou:

— Você chama vinte dólares por um par de sapatos infantis uma pechincha? — Ela usava um maiô com shorts por cima, chinelos de dedo e um enorme chapéu de palha.

Eu apenas fiquei olhando para ela.

— Chama? — Ela ergueu um sapato amarelo, azul e rosa, que parecia ter os Smurfs. — Eu dou dez dólares por este par se tiver tamanho vinte.

— Eu não sei.... — respondi procurando o Burt, que desaparecera, tirando uma folga de uns bons vinte minutos para o banheiro. — Nós realmente não barganhamos o preço dos sapatos.

— Não barganham, é? — repetiu ela, com uma voz desagradável, como se eu tivesse sido mal-educada com ela. — Então está bem. Só me encontre o tamanho vinte, tudo bem?

Então Burt surgiu ao meu lado, cheirando a sabonete de mãos da toalete.

— Algum problema por aqui, Haven?

— Vinte — a mulher repetiu alto, sacudindo o sapato em meu rosto. Vi um borrão dos Smurfs com o azul, o rosa e o amarelo passando diante dos olhos.

— Encontre um número vinte para a senhora — disse Burt, me empurrando com a mão nas costas. — Vou ficar um pouco aqui na mesa.

Fui para os fundos até o depósito e subi até a estante de descontos, procurando o sapato feio dos Smurfs. Havia um vinte e um e um dezenove, mas nenhum vinte, é claro. Voltei à mesa.

— Sinto muito, não há nenhum — avisei.

— Não há nenhum — repetiu ela sem expressão. — Tem certeza?

— Tenho sim, é sério — percebendo que estava sendo pentelha e que não estava nem aí. Burt me observava. Senti aquele zumbido nos ouvidos, aquela uniformidade poderosa. Imaginei que flutuava acima do Shopping Lakeview, sem estar amarrada a nada, a seda dos cartazes roçando meus ombros.

— Haven, talvez você possa mostrar à senhora algum outro modelo? – sugeriu Burt rapidamente.

— Eu quero este — respondeu a mulher, sacudindo o sapato novamente em meu rosto. Atrás dela, alguém mais chamava:

— Moça, moça? Poderia me ajudar com este sapato, por favor?

— Nós não temos este sapato em estoque, senhora — repeti de modo cantado, meu sorriso de agradar os clientes surgindo no rosto.

— Bom, então acho que deveria ganhar outro sapato pelo mesmo preço. — Ela pôs uma mão no quadril e eu vi o tecido do maiô enrugar, dobrando-se sobre a barriga. As pessoas não deveriam usar roupa de praia em público. — É o mais justo.

— Senhora, é liquidação, não temos mais esse tamanho, eu sinto muito – expliquei, mas a minha mente já vagava. Burt estava ocupado desamarrando muitos cadarços, as pessoas me cercavam, e a música no shopping parecia ainda mais alta, de repente. Pensei que ia desmaiar, bem ali no meio da Liquidação Quente de Verão no Calçadão.

— Bom, então está bem – vociferou a mulher. Eu a vi atirando o sapato em mim. É provável que ela quisesse que ele caísse na pilha, mas ele bateu num sapato de amarrar na banca e acertou a minha cabeça, um golpe direto do Smurf. De repente, fiquei furiosa, o zunir em meus ouvidos alto e calmante, eu me senti acordada, minha pele formigando.

Ela estava indo embora, os chinelos espocando no piso, quando eu agarrei o sapato, dei a volta na mesa e a segui. Ainda sentia o local onde o sapato me atingiu, mas não era isso que me impelia e me fazia apressar em meio à multidão de caçadores de pechinchas, seguindo a mulher gorducha com chapéu de palha. Era algo mais, uma massa gigante das alfinetadas e ataques de Ashley, das orelhas pequenas de Lorna Queen, dos cabelos novos de papai e do Sumner em pé, lá fora, na grama, abandonado há tantos anos. Era a minha altura, o Rick da Casey, Lydia Catrell e a Europa e a minha mãe diante da entrada de casa me vendo sair para o casamento de papai. Era o maldito verão inteiro, a minha vida inteira, culminando naquele momento com essa estranha no meio do Shopping Lakeview.

— Com licença – falei alto ao me aproximar por trás dela, agarrando o sapato com tanta força que podia sentir as pontas de plástico do cadarço na palma da minha mão. – Com licença.

Ela não me ouviu, então eu estiquei o dedo e lhe cutuquei o ombro, sentindo o emborrachado liso do maiô. Ela se voltou.

– O que foi? – então ela viu que era eu, e seus olhos se estreitaram, desagradáveis.

Apenas olhei para ela, não sabendo ao certo que palavras sairiam de minha boca. Estávamos no meio do shopping, ao lado da enorme máquina de chicletes, onde o teto era alto, de vidro. O sol iluminava o vão central, cálido e tão ofuscante que quase fechei os olhos. Os ruídos e vozes estavam altos, erguiam-se acima de mim, forçando o caminho para a claraboia e o mundo externo. As pessoas passavam apressadas, os cartazes flutuavam acima de mim, e eu encarei a mulher, essa estranha, cada centímetro de meu corpo formigando, elétrico.

– Você se esqueceu disso – disse eu, numa voz que não parecia minha, e joguei o sapato de volta nela, com força. Fiquei parada olhando enquanto ele acertava bem na testa, no mesmo ponto que ela me acertara. Então ele caiu no chão, pulou uma vez e aterrissou em pé, como se esperasse um pé pequeno para calçá-lo.

Ela ficou atordoada, encarando boquiaberta; tinha duas obturações de ouro nos dois dentes de trás. Percebi isso sem querer, enquanto a multidão se acotovelava ao nosso redor, o sol brilhava e, então, de repente, senti um cansaço, certa que não conseguiria vencer a curta distância de volta à loja.

– Vou fazer você ser despedida – berrou ela, agachando para agarrar o sapato, e acrescentou, no caminho de volta: – E vou chamar a segurança do shopping para relatar isso. Isto é agressão. – Ela olhou ao redor, para as poucas pessoas que me viram atirando o sapato nela e apontou para cada um, acrescentando – Testemunhas! Você todos são testemunhas!

De repente, todos me olharam e o local estava brilhante demais e tão quente e tudo o que eu conseguia ver era a sua boca escancarada, gritando. Dei meia volta, esticando os braços feito cega, na claridade quente da claraboia, empurrando as pessoas da frente, e comecei a correr. Corri no meio do Shopping Lakeview, com os cartazes balançando no alto, vendo as expressões chocadas das pessoas que se afastavam do caminho, puxando crianças e carrinhos. Eu podia ouvi-la gritando atrás de mim, mas não me importava, não conseguia pensar em mais nada quando empurrei as portas principais para o estacionamento e continuei a correr, os pés batendo no asfalto. Eu me perguntei se era assim que Gwendolyn se sentia, procurando pelas ruas um pouco de paz. Se, com quinze anos, ela alguma vez se sentiu da mesma forma, alta e perdida, como não se encaixasse e não pudesse encontrar um lugar para si, em parte alguma.

Eu ainda estava correndo, me aproximando da ponta do estacionamento que levava para a rua de casa, quando pensei ter ouvido alguém – Sumner – gritar meu nome. Eu não podia parar, nem mesmo para ele, fiz a curva e me dirigi para o meu bairro, desacelerando a corrida e respirando ofegante, o vento assobiando nos ouvidos.

Dei por mim no parquinho perto de casa, ainda tentando entender o que acontecera comigo. Passei pelos balanços e o trepa-trepa, em direção ao Playground Criativo, construído por um grupo de pais hippies quando eu ainda frequentava o primário. Era de madeira, com escorregadores e lugares para se esconder, pneus empilhados criando túneis verticais. Rastejei para baixo de um escorregador e me encolhi tão pequena quanto era no 2.º ano quando descobri este lugar. Quase não coube agora, os joelhos no queixo. Estava cheio de musgo e silencioso. Por algum motivo parecia o local perfeito naquele momento.

É claro que fui despedida. Não ouviria mais "Empurre as meias, Empurre as meias". Tirei o crachá e o enfiei no bolso, me perguntando que tipo de cobranças me esperavam na volta para casa. Fiquei pensando se eu poderia ir presa por um ataque com um sapato de Smurf no shopping. Se eu poderia ir para a prisão. Se eu *poderia* ir para casa.

Logo eu já não pensava mais naquilo, nem na mulher nem nas Ofertas Quentes de Verão no Calçadão. Recostei a cabeça na madeira escorregadia atrás de mim e me lembrei dos bons tempos, daquele verão em Virginia Beach. Pensei no Sumner correndo pela areia, pegando o disco de frisbee acima da cabeça. Em como ele tornou a Ashley humana, no coquetel de camarão do restaurante do hotel e nas bochechas coradas de papai, ele sorrindo, abraçando minha mãe pela cintura, puxando-a para perto. Lembrei da risada sonora da Ashley e daquele percurso no Fusca com música de praia no rádio e as estrelas no céu, um verão tão novo, com tantos dias ainda a correr, cada um se juntando ao próximo. Eu desejei poder, de algum modo, voltar a vivê-lo de novo, comigo e a Ashley no acostamento esperando e ouvindo o espocar do motor virando a esquina. Eu viveria cada um daqueles dias exatamente igual, quando eu não era maior que uma tampinha. Quando meus pais ainda se amavam, e Sumner nos unia, rindo, até o dia em que Ashley o mandou embora sem mesmo pensar no que aconteceria assim que ele se fosse. Sem mais risadas, sem mais nos reunirmos vindo de lados opostos da casa, todos unidos pela voz de Sumner, pela sua risada. Sentia falta do que todos éramos na época. Um verão e um cara e, de repente, as coisas não eram mais as mesmas.

Fui andando para casa. Adormeci embaixo do escorregador, cochilei no silêncio dos musgos; acordei confusa, esqueci onde estava com o sol esquentando minha cabeça. Alguns menininhos escorregavam acima de mim, as vozes altas e risonhas, chamando o pai para olhar. Ele usava óculos de sol, lia um jornal ao lado do túnel de pneus e erguia o olhar sempre que solicitavam. Esperei que se fossem para poder escapulir e me desdobrar até o tamanho real.

Entrei na casa pela porta dos fundos, esperando evitar ver alguém, mas é claro que havia outra reunião de cúpula acontecendo à mesa, com Lydia e mamãe debruçadas sobre a prancheta, que parecia amarrada à mão de mamãe ultimamente, e Ashley sentada na porta que dava para a sala de estar.

– Bom, é claro que teremos que replanejar toda a festa de casamento – argumentava mamãe quando eu estava diante do outro lado do vidro, invisível. – Não podemos ter cinco padrinhos e quatro damas de honra. Alguém precisa sair.

– Já vi casamento desse jeito antes – disse Lydia, puxando a camisa com lantejoulas. – Quatro damas de honra e três padrinhos. Mas nunca pareceu certo para mim. A simetria é necessária em uma festa de casamento. Precisamos dela.

– Ainda não consigo acreditar nisso – resmungou Ashley olhando para o cabelo que pendia de um lado do rosto. – Juro que vou matá-la.

– Não há tempo para pensar nisso agora – retrucou Lydia com a voz alta e metálica da Flórida. – Podemos odiar a Carol mais tarde; agora, precisamos achar alguma solução e rápido.

– Tudo bem – respondeu mamãe, folheando algumas páginas da prancheta. – Que tal isso: simplesmente achamos outra dama de honra. Ashley, você poderia convidar alguma amiga sua, não é?

— Mãe! — Ashley falou irritada, com aquela voz que cansei de ouvir nos últimos seis meses — O casamento é amanhã.

— Eu sei disso — concordou mamãe, cansada.

— Não há tempo de arranjar outra dama, arrumar um vestido, ajustá-lo... não dá para fazer isso, de jeito nenhum. — Ashley segurou a franja repicada.

— Que tal dispensarmos um padrinho? — sugeriu Lydia. — Deve haver alguém a quem possamos pedir para sair, em prol da uniformidade.

— Não podemos cortar ninguém — respondeu Ashley. — Nossa, seria horrível: "Obrigada por alugar um smoking e tudo o mais, mas não precisamos mais de você. Cai fora."

— É claro que não diríamos desta forma — rebateu Lydia, rabugenta, e todas silenciaram, pensando no assunto.

Percebi que seria o melhor momento para alguém entrar, então cruzei a cozinha, passei por cima de Ashley na porta, indo direto para a escada.

— Haven? — Mamãe já estava no meu pé. Eu a ouvi afastar a cadeira da mesa, o arrastar familiar, os passos pelo corredor, atrás de mim. — Haven, preciso falar com você.

Parei no meio das escadas e me virei, olhando para baixo. Ela parecia bem pequena.

— O que é?

— Sabe... — disse ela, começando a subir, degrau a degrau — Recebi uma ligação estranha do Burt Isker. Houve algum problema no serviço hoje?

— Não, nada — respondi, me virei, subi os degraus restantes e me dirigi para o quarto, alguns passos adiante.

— Não importa o que houve, podemos conversar a respeito — falou ela baixinho, ainda me seguindo. Senti uma ferroada de culpa, mas a afastei, pois estava farta de protegê-la de papai, de perdoá-lo por ter-nos deixado pela Mulherzinha do Tempo grávida, de dar todo o espaço para a Ashley me ferir por ela ser A Noiva.

— Não quero falar nada — acrescentei, sabendo exatamente a reação que veria se me virasse, a dor, como um tapa se espalhando por seu rosto. Mas não me virei e nem mesmo parei de andar até estar em meu quarto, com a mão na maçaneta por dentro, fechando a porta.

— Haven — chamou mamãe mais alto, tentando ser dura —, nós ainda vamos falar nisso. Se você está perturbando clientes e fugindo do emprego, é óbvio que algo está acontecendo e precisamos discutir isso. Sei que este verão está difícil com o casamento, mas não é...

— Não tem a ver com o casamento. Não tem nada a ver com o maldito casamento ou a Ashley. Desta vez, não tem nada a ver com ela. Nada — respondi, agora vendo de perto o rosto dela, cuja expressão mudou de autoritária para perdida. Então, bati a porta na cara da mamãe com tanta força que os quadros na parede balançaram. Dava para ouvi-la respirando do outro lado da porta, esperando que eu abrisse, me desculpasse, a abraçasse e a salvasse de tudo, como eu sempre fazia. Mas não fiz nada. Não desta vez.

Alguns momentos mais tarde, como se rendesse, ela disse apenas:

— Bom, não se esqueça de que seu pai vem aí. Você disse que sairia às compras com ele, para achar o presente de sua irmã. — A voz era doce e ela tentava demonstrar que não se magoara. Esperou mais um minuto, como se isso pudesse me trazer para fora. Depois, eu a ouvi descendo a escada lentamente.

Fui para a cama e me estiquei atravessado, simetricamente, com os pés apoiados nos pés da cama e a cabeça entalada na cabeceira. Fechei os olhos e tentei bloquear tudo: o shopping, a mulher do maiô, o rosto da mamãe quando a porta fechou na cara dela. Tentei pensar em algo para cortar o som da ventilação, tão claro, e o que sabia é que estariam falando sobre mim assim que mamãe descesse a escada.

— Qual é o problema? — era a Ashley.

— Nada... — mamãe não parecia a mesma, a voz baixa e sem inflexão. — Vamos voltar ao problema da dama de honra.

— O que ela disse? — indagou Ashley, protetora. — Puxa, o que está acontecendo com ela ultimamente? Ela está impossível. Parece até que faz de propósito, tão perto do meu casamento, estragando tudo...

— Não tem nada a ver com o casamento — apaziguou mamãe, baixinho, repetindo minhas palavras. — Deixe para lá, Ashley. Você já tem bastante com o que se preocupar.

— Só acho que ela podia ter esse ataque de nervos na semana que vem, isto é, já temos tanto o que fazer, é realmente muito egoísmo.

— Ashley — retrucou a mamãe mais alto, parecendo cansada. — Deixe para lá.

Fiquei deitada escutando a discussão sobre Carol, a dama de honra complicada, que deveria chegar naquela tarde de avião, mas que parece ter ligado antes para avisar que tinha desmanchado o noivado naquela manhã e que estava maluca demais para participar. Discutiram e discutiram planos sem fim, nenhum deles parecendo servir. Olhei o relógio. Eram apenas onze e quinze.

Eu ainda tinha que fazer compras com papai, escolher o Presente Perfeito para o Casamento Perfeito. Era tarde demais para cancelar; meu pai tinha os seus defeitos, mas era sempre pontual. Fui ao banheiro e lavei o rosto, me olhei no espelho sob a luz fluorescente esverdeada. Eu parecia doente, fantasmagórica, o que me pareceu apropriado, então deixei como estava, sem pôr maquiagem ou pentear os cabelos. Ainda usava a roupa de trabalho, então desci furtivamente e saí da casa, esperando por ele.

Ouvi o carro antes de vê-lo, o ronronar do motor fazendo a curva na esquina para entrar na minha rua. Ele parou diante de casa, como sempre fez, buzinou duas vezes. Eu estava no balanço, olhando-o sem me mexer. Não tinha certeza se ele podia me ver.

Ficou sentado no carro alguns minutos mais, mexendo no rádio e alisando os cabelos novos. Buzinou de novo. Permaneci ainda sentada. Eu queria que ele viesse até a casa. Percebi que queria que ele finalmente se aproximasse e cruzasse aquela linha imaginária traçada no dia em que ele fez as malas e foi embora enquanto eu estava na escola, levando com ele todo o seu material esportivo, as roupas e o som, o que deixou um grande vão na parede da sala. Eu queria vê-lo subir os degraus da frente, cruzar a grama que ele mantivera tão bem cortada todos aqueles anos, não um covarde sentado em seu carro novo reluzente, do lado de fora. Fiquei sentada e o observei, desafiando-o para ter coragem. Para ele vir me chamar, o que ele jamais fez desde aquele dia, sem se esgueirar pelos arredores daquilo que já fora uma propriedade compartilhada, esperando que eu mesma cruzasse a linha – a linha que eu não havia traçado.

Ele buzinou novamente e vi o rosto da mamãe aparecendo na janela ao lado da porta, espiando-o. Ele deu a ré e virou o carro na nossa entrada, a cabeça ainda erguida vendo se eu apareceria – plim – de repente, como um buquê de rosas na mão de um mágico. Mamãe segurou a cortina de lado, observando. Eu olhava também, escondida na sombra de nossa varanda, enquanto ele se afastava, lançando um último olhar à minha procura, e então engatou a marcha e desapareceu – plim.

Capítulo Doze

A primeira coisa que senti ao acordar foi que estava quente, muito quente. Estávamos em meados de agosto e fazia calor todos os dias, mas algo naquele dia se destacava. Adormeci sem coberta, chutei o lençol e a manta leve, mas ainda assim me sentia suada e com calor, mesmo com o ventilador apontado diretamente para mim. Lá fora, o sol torrava. Acordei com um pesadelo, daqueles confusos, em que ninguém é quem era no começo. Alguém me levava rua abaixo, mostrando coisas. Primeiro era o Lewis, com uma daquelas gravatas estreitinhas, mas aí o rosto mudou e era o Sumner. Virei o rosto e quando tornei a olhar, mudou de novo, e era a Lydia Catrell, só que muito velha e miúda, curvada, encolhendo-se diante de mim. De repente, acordei, confusa, lembrei de tudo o que acontecera antes, em um turbilhão de imagens e cores borradas. Eu me encolhi toda, puxei o travesseiro e afundei o rosto nele. Este foi o dia mais longo da minha vida. Tudo poderia acarretar problemas: o casamento e as semanas por vir; eu queria dormir e acordar depois de tudo acabar. Mas o sol se infiltrava pela janela, faiscante e quente e já era uma da tarde. Pareceu uma eternidade, pois só fui dormir depois de papai partir, tranquei a porta e ignorei a voz de mamãe, sussurrando fora, no corredor. A parte inicial do dia parecia enevoada e distante, como o sonho que se desvanecia rapidamente na minha mente.

Fiquei na cama por mais uma hora, escutando os ruídos da casa. Ouvi Ashley no quarto ao lado, agitada, embalando as últimas coisas. De vez em quando, ficava um silêncio, e eu me perguntava se ela tinha parado para pensar que estava indo embora. Será que ela estaria triste? Então eu a ouvia passando fita em outra caixa fechada, ou descendo de novo as escadas, arrastando algo atrás. Mamãe e Lydia estavam na cozinha, tagarelando alto, ao som das colheres de chá e da excitação de algo grande prestes a ocorrer. Fiquei na cama, com os pés sobre a pezeira, a cabeça apoiada na cabeceira. Fiquei tão quieta quanto podia, com as costas sobre o lençol úmido. Tentei imaginar a calma que haveria depois, depois de amanhã e da lua-de-mel e da Europa, quando só restaria mamãe e eu andando pelo chão da casa, e tudo seria diferente.

Levantei e fui para o chuveiro, passando as mãos no corpo sob o fluxo de água. Desde que cresci, odeio olhar para baixo, para minhas pernas finas, joelhos protuberantes, os pés grandes espalhados pelo chão como sapatos de palhaço, dez números a mais. Mas agora, fiquei ereta, inspirando bastante ar que se espalhou dentro de mim. Pensei nas girafas e nas pernas-de-pau, nos meus ossos cuidadosamente interligados; em altura e poder e em estar acima das cabeças dos clientes do Shopping Lakeview, para tocar os cartazes tremulantes. Saí do box para olhar meu rosto no espelho, passei a mão para tirar o embaçado e me vi de forma diferente. Era como se tivesse crescido durante o sono, mas desta vez para caber em meu tamanho exato. Era como se minha alma tivesse se expandido, preenchendo os vazios da altura que me importunaram todos esses meses. Como um balão enchendo lentamente com ar, ficando liso e flutuante, eu me senti finalmente dentro de mim mesma, borda com borda, cada fenda preenchida.

– Ei – chamou Ashley, quando passei pela porta aberta para descer – Haven, venha cá um pouco.

Entrei, imediatamente consciente de como o quarto dela parecia pequeno com a cômoda quase vazia. A porta aberta do guarda-roupa revelava prateleiras vazias, papel de parede mais claro onde havia algo pendurado, contrastando com o resto da parede. Ela estava em pé ao lado da cama, com um vestido dobrado no braço.

– Preciso falar com você – começou ela.

Fiquei lá parada, aguardando. Ela me olhou mais de perto, como se de repente reparasse em algo novo.

– Você está bem?

– Estou – respondi –, por quê?

– Você parece diferente. – Ela pôs o vestido dentro de uma caixa a seus pés, que chutou para fechar. – Você está se sentindo bem?

– Estou ótima.

Ela ainda me observava, como se não pudesse acreditar em mim. Depois ergueu os ombros, deixando para lá, e disse:

– Queria falar com você sobre o que aconteceu antes.

— O quê, exatamente?

— Haven — disse ela com a voz que demonstrava que se sentia muito, muito mais velha que eu —, eu sei que esse lance de casamento é duro para você e tudo mais, mas estou preocupada com o jeito que você tratou a mamãe. Já é bastante duro para ela agora, sem ter que encarar você endoidecendo e se virando contra ela.

— Não estou endoidecendo — respondi secamente, voltando à porta.

— Ei, ainda não terminei de falar com você — chamou ela, andando rapidamente para impedir a minha passagem.

Olhei para baixo, reparando o quanto ela era baixinha. Ela usava shorts e camiseta vermelha, com uma corrente de ouro e brincos combinando.

— Está vendo do que estou falando? É como se, do nada, você não se importasse com ninguém mais além de você mesma. É mal-educada com a mamãe e agora essa atitude comigo...

— Ashley, por favor — respondi com a voz cansada e percebi o quanto soava como mamãe.

— Estou pedindo apenas que segure as pontas, pelo menos até amanhã. — Agora, as mãos dela estavam nos quadris, postura típica de Ashley. — É muito egoísmo seu, sabe, escolher logo estes dias para qualquer ataque adolescente que resolveu ter. Muito egoísmo seu.

— Eu, egoísta? — Percebi que atirei a cabeça para trás para rir. — Ora! Pelo amor de Deus, Ashley, sai do meu pé. Como se nos últimos seis meses tudo não girasse ao seu redor e este casamento idiota. Como se a minha vida inteira — acrescentei, sentindo algo leve e borbulhante fervilhar de volta, dentro de mim — não girasse em torno de você e de sua vida idiota. — Nem parecia ser eu, a voz tão indiferente e fria. Era como se fosse outra pessoa, alguém atrevida.

Ela só ficou me olhando, o anel de noivado de ouro brilhando no dedo, que ela sacudia para mim.

– Não vou deixar você fazer isso. Não vou deixar você me deixar nervosa neste dia, pois tenho muito a fazer e não estou a fim de brigar. Mas só digo uma coisa. É melhor que cresça e mude de atitude nos próximos cinco minutos, ou vai se arrepender, Haven. Eu planejei este dia, andei fazendo muita coisa por muito tempo e não vou deixar você estragar tudo só por inveja.

A mão dela estava de volta no quadril e ela fazia beicinho.

– Ah, cala a boca – respondi, com a voz ousada, dando a volta e saindo do quarto, depois desci as escadas antes mesmo de ela ter chance de reagir. Eu flutuava, o ar assobiando nos ouvidos pelo trajeto inteiro até a cozinha, onde encontrei mamãe e Lydia tomando café. As duas me olharam quando entrei com a mesma expressão de Ashley quando me chamou pela primeira vez ao quarto: como se de repente eu não fosse mais a mesma.

– Haven? – mamãe virou-se na cadeira, enquanto eu alcançava as Pop-Tarts e abria o pacote. – Está tudo bem?

– Tudo bem – respondi animada, alinhando as tortinhas na grelha do forno. Em cima, Ashley fazia barulho, as caixas caindo no chão.

Mamãe e Lydia trocaram olhares por cima das xícaras de café, depois voltaram a atenção para mim. Eu me concentrei no forno. Passado um minuto, Lydia perguntou:

– Por que não senta e come conosco?

– Tudo bem.

Tirei as Pop-Tarts, sentei do outro lado da mesa e comecei a comer, sabendo que elas continuavam a me encarar. Depois de breves mordiscadas, perguntei:

— O quê? O que foi?

— Nada — respondeu Lydia rapidamente, encolhendo-se na cadeira. Lembrei do meu sonho, onde ela era pequena, pequenininha.

— É só que você parece chateada — disse mamãe com a voz suave, aproximando a cadeira, sugerindo intimidade. — Quer conversar?

— Não — respondi com a mesma voz doce —, não quero.

— Voltei à tortinha, imaginando o arreio esticando ao extremo, esfiapando e então arrebentando pela tensão, incapaz de resistir à força de eu me afastar disto. Olhei para mamãe, com o mesmo cabelo, a mesma roupa e a mesma expressão de Lydia Catrell e pensei: "Vá para a Europa, venda esta casa, eu não me importo mais, simplesmente não me importo".

— Haven — suplicou mamãe, colocando a mão sobre a minha —, você pode se sentir melhor.

Eu não me importo, não me importo, não me importo, pensei, enfiando pedaços de Pop-Tart na boca, um a um. A mão dela era quente e aconchegante sobre a minha quando eu a retirei e afastei minha cadeira da mesa.

— Eu não quero falar nada... — reclamei, fazendo Lydia Catrell afundar mais ainda na cadeira. — Eu não me importo, entendeu? Tanto faz, tá!

— Querida — disse mamãe, e eu percebi pela tensão na voz que agora ela estava realmente preocupada.

— Sinto muito... — respondi, incapaz de encará-la. Corri até a porta dos fundos e para fora, no jardim, no caminho, passando pelas cores e cheiros vibrantes, as gavinhas roçando minha pele, a mistura de tudo tão doce, úmido, pesado e abafado. Cheguei à cerca e continuei, descendo a rua. Passei pelos Melvin, me afastei do bairro, passei pelo Shopping Lakeview com todos os carros alinhados no estacionamento em filas regulares. Eu era outro alguém, alguém destemido, meus pés batiam contra o chão abaixo de mim, enquanto eu só queria me afastar de tudo que eu deixara para trás.

Não sabia aonde ir, ou o que fazer. Não tinha emprego e apenas três dólares no bolso, então passei uma hora andando pelo centro da cidade. Comprei uma laranjada e fiquei meia hora num banco bebericando, pensando se algum dia eu conseguiria voltar para casa. Imaginei a casa em pedaços, destruída pelo meu mau comportamento. Ali no parque, imaginei a convocação de uma reunião de crise com Ashley, Lewis, minha mãe, Lydia, meu ex--chefe Burt Isker, meu pai e Lorna, todos discutindo a questão O Que Deu na Haven? Apenas Sumner ficaria a meu lado. Durante o espaço de um verão, só ele foi capaz de insuflar vida novamente em mim, exatamente como anos atrás. Agora, eu estava lá me fazendo de tonta no banco, na véspera do dia mais importante da vida da minha irmã e não estava nem aí. Imaginei seus rostos, sentados ao redor da mesa, as vozes preocupadas. Eu estava provocando uma crise.

    Liguei para Casey. A restrição de telefone fora revogada, e ela voltara às boas com a mãe depois das aulas de sapateado e de terapia familiar. Quando ouviu a minha voz, ela respondeu:

— Espere um pouco, vou trocar de aparelho.

Eu estava em um telefone público, vendo um maluco falar consigo mesmo no banco que acabei de deixar. Aguardei.

— Haven.

— Oi.

— Qual é? Que andou acontecendo com você? — Ela parecia incrédula, mesmo sussurrando. — Sua mãe já ligou aqui três vezes, procurando você. Elas estão desesperadas.

— Ela ligou? — perguntei.

— Ela achou que você tivesse vindo aqui. Contou tudo para a mamãe e eu ouvi, minha mãe fala muito alto.

— O que elas conversaram? — Eu era o assunto de conversa séria entre mães.

— Bom, a sua mãe perguntou se você esteve por aqui e mamãe disse que não, então sua mãe continuou dizendo que você endoideceu esta manhã, brigou com a Ashley, saiu correndo de casa, e ela estava preocupada porque achou que você tivesse usado drogas ou algo assim, ela não tem certeza...

— Drogas? — repeti — Ela disse isso mesmo?

— Haven — disse Casey com veemência, como se soubesse das coisas. — Para elas, qualquer coisa está relacionada com as drogas, tá?

— Eu não uso drogas — respondi, ofendida.

— Bom, isso não importa. Parece que sua irmã está maluca, sua mãe e Lydia estão procurando você pelo bairro, o ensaio será às seis e meia, e elas acham que você vai furar também, então é vital que elas encontrem você antes disso.

— O jantar de ensaio[6] — repeti. É claro, eu era dama de honra. Se não fosse, tinha absoluta certeza que não teriam dado tanta importância.

— Então, o que está rolando? — Casey quis saber. — Onde você está? Diga que eu vou até aí.

— Não está rolando nada — respondi —, estou indo para casa.

---

[6] O jantar de ensaio (*rehearsal dinner*) é uma cerimônia que acontece um dia antes do casamento, onde as famílias do noivo e da noiva podem se conhecer. Essa tradição é muito comum nos Estados Unidos. (N.E.)

— Não sabia se isso era verdade, mas não estava a fim de ver a Casey. Curti a liberdade e não estava preparada para compartilhá-la.

— Tem certeza? — ela perguntou, parecendo desapontada.

— Eu ligo mais tarde — respondi.

— Espere. Pelo menos me conte o que aconteceu no trabalho. Sua mãe disse que você atacou uma cliente ou algo do tipo...

— Mais tarde, tudo bem?

— Tudo bem. — Ela concordou com má vontade. — Mas você está bem? Me diga isso, ao menos.

— Estou sim, só tenho que ajeitar algumas coisas.

— Ah, então tá. Bom, me ligue se precisar. Estou aqui ensaiando sapateado.

— Ligo sim, tchau, Casey. — Desliguei e observei o pequeno parque onde eu estava me escondendo. Havia famílias com filhos, universitários jogando frisbee com um cachorro grande e bobão que corria atrás do disco. Pensei se o sedã de luxo estaria vasculhando as ruas do centro, com a Lydia tentando me achar para que eu pudesse ser impelida e arrastada até o jantar de ensaio. Estava jogando tudo para o alto e sabia disso. Era como uma fugitiva, correndo de alguma força indefinível, constituída pelos olhos preocupados de mamãe, os choramingos da Ashley e o carro da Lydia, absorvendo meus passos assim que eu os desse. Agora já era finalzinho de tarde, mais quente que nunca. Minha camiseta estava grudada no corpo, e eu precisava de um lugar melhor para me esconder.

Estava parada no cruzamento olhando para nada quando eu o ouvi. O ronco de um carro, virando a esquina atrás de mim e descendo a rua, com Sumner ao volante. Ele parou no semáforo, longe demais para me ouvir, mesmo que eu tivesse tempo de gritar seu nome. O farol abriu e ele arrancou, uma mão apoiada na direção, a outra pendendo para fora do carro, tamborilando os dedos. Ele se foi, e eu o segui com olhos, se perdendo no tráfego, até virar em uma rua lateral, um pouco abaixo. Comecei a andar.

Encontrei-o no centro da terceira idade, um prédio pequeno no final de uma rua comprida, repleta de galerias e conjuntos comerciais. Tudo parecia muito novo e limpo, como se montado às pressas no dia anterior. O carro dele estava parado bem ao lado da porta, em uma vaga marcada AMIGOS.

Empurrei a porta e entrei, olhando em volta. Ainda estava, tipo, fugindo, desconfiada, quando passei por um grupo de mulheres baixinhas, todas elas curvadas, de cabelos brancos. Elas usavam tênis lustrosos da Nike com saias e malhas. Conforme passei por elas, desviando os olhos, ouvi uma delas dizer baixinho, com a voz cantada:

– Que garota bonita!

Eu me virei, tentado ver melhor; elas já se haviam ido, virando o canto. Pude ouvir as solas dos sapatos raspando o assoalho e o som da música, no final do corredor. Continuei a andar, passei por salas com paredes de cores alegres e vivas como ovos de Páscoa. Em uma delas, um grupo ocupado pintava. Cada pessoa atrás de um cavalete. Um homem me viu passando, por cima do ombro, e suspendeu o pincel no meio de uma pincelada. À sua frente havia uma tela inacabada, com uma praia, a água de uma infinidade de azuis, o céu incendiado com laranja e vermelho. Passei por um solário, onde uma cadeirante lia um livro, a luz filtrada pela janela quase a tornando transparente, e cheguei a um salão grande, de teto alto e assoalho lustroso. Em um canto havia uma vitrola, e um homem examinava alguns álbuns, enquanto diante dele cerca de dez casais dançavam um ritmo lento e compassado. Uma senhora de vestido longo azul estava de olhos fechados, o queixo repousava no ombro do parceiro que a rodopiava com cuidado. Um homem com uma flor na lapela se inclinou para a parceira, que sorriu e tomou sua mão para outra dança. No canto mais afastado, perto da mesa forrada de taças e uma poncheira, vi Sumner, com a cabeça atirada para trás, rindo, conduzindo uma senhora baixinha empertigada com xale de crochê por aquela parte do salão. A mulher falava, as bochechas coradas, e Sumner a escutava, girando-a vagarosamente, os pés em movimento regular sobre o piso brilhante. Ele vestia uma camisa vermelha com gravata azul e sapatos de amarrar antigos. O jeans estava enrolado em bainhas desiguais e a barra da camisa pendia sobre a cintura. Quando a música cessou, os pares se separaram e aplaudiram enquanto o rapaz do som escolhia outra música. Sumner fez uma mesura para a parceira, e ela sorriu, ajustando melhor o xale sobre os ombros.

As pessoas se movimentaram para se reagruparem novamente, e Sumner ficou para trás, ao lado da poncheira, esperando a nova música começar. Então ele atravessou o salão em direção a uma mulher com calça amarela, em pé ao lado da vitrola, de braços cruzados, que observava os dançarinos com um leve sorriso no rosto. Ele se aproximou sorrindo, estendeu a mão e a convidou para dançar. Ela correu os dedos pelos cabelos brancos curtos, então acenou a cabeça uma vez antes de pegar a mão dele e segui-lo. Ele passou-lhe a mão na cintura, ao estilo antigo, e eles iniciaram os passos elegantes do foxtrote, um-dois-três--quatro. A música era alegre e acelerada, e todos sorriam neste salão reluzente, onde o tempo parecia ter parado e onde seria possível esquecer as juntas doloridas e antigas preocupações e deixar um jovem bonitão convidá-la para dançar. Detive-me na entrada, olhando Sumner cativar esta senhora como ele cativou a mim e à minha irmã há tantos anos. Fiquei olhando por muitas músicas mais, ele esperando sempre todos se agruparem antes de escolher uma mulher sozinha, observando os outros. Uma solitária querendo participar, com algo a impedi-la.

Após meia hora, o homem dos discos se inclinou sobre um microfone e avisou, com a voz grossa:

— Atenção, última música, prestem atenção, é a última.

Esperei que Sumner repetisse seu ritual para a última dança nesta tarde de verão. Ele beirou o grupo de dançarinos, entrando e saindo de meu raio de visão, um borrão vermelho em meio às formas em movimento. Então, ele cortou caminho pelo meio da multidão, pelas mulheres de olhos fechados perdidas na música, e caminhou com o passo firme e vagaroso diretamente para mim. Esticou a mão, com a palma para cima, como se esperasse que eu lhe batesse a palma e disse:

— Vamos lá, Haven, é a última dança.

— Eu não sei dançar — meu rosto se incendiou ao notar que todos os pares estavam nos observando com aquele olhar orgulhoso e atento de avós ou tias solteironas.

— Eu ensino você — respondeu ele, ainda sorrindo. — Vamos lá, pé-de-valsa.

Coloquei a minha mão na dele e senti seus dedos se dobrarem sobre os meus, conduzindo-me delicadamente para a ponta da pista. Estava para soltar uma piada de como eu o deixava pequenino, mas ele colocou a mão na minha cintura, puxou-me para si e, de repente, perdi a vontade de fazer graça. Ele segurou a minha mão e se concentrou na música antes de dizer:

— Tudo bem, faça o que eu faço.

Foi o que fiz. Nunca fui de dançar, sempre desajeitada e fugidia. A dança era para as baixinhas e bailarinas, garotas que pudessem ser erguidas e inclinadas, envolvidas facilmente com um braço. Mas conforme Sumner me conduziu pela pista, meus pés aos poucos se acostumaram com as curvas e com o deslizar na pista, e não pensei em como eu era alta, ou desengonçada, nem em como eu me destacava acima dele, sua cabeça no meu pescoço. Fechei os olhos e ouvi a música, sentindo seu braço ao meu redor. Estava cansada depois deste dia longo e, de repente, me pareceu que eu não poderia continuar em pé se não fosse o Sumner me apoiando, segurando a minha mão. A música se elevou, tons de soprano e harpas e tristeza, lamentando algum rapaz perdido na guerra, mas ainda conservei meus olhos fechados e tentei me lembrar de cada detalhe desta dança, pois mesmo naquele momento sabia que não iria durar. Era apenas um momento, um instante perfeito, como se o tempo parasse e, voando, tudo ficasse para trás, em seu devido lugar. Deixei que ele me conduzisse pelo salão do centro de terceira idade e me esqueci de tudo a não ser do seu ombro sob a minha mão e da voz, dizendo suavemente:

– É assim mesmo, Haven, está ótimo. Dá para acreditar? Você está dançando.

Quando a música parou e eu abri os olhos, todos os casais de idosos estavam ao nosso redor, aplaudindo, sorrindo e balançando as cabeças uns para os outros, um consenso silencioso de que o que senti não foi apenas imaginação. Havia algo especial em Sumner, algo que se espalhava pelas salas, anos e memórias e, no decorrer de uma música, eu fizera parte disto novamente.

– Então – ele disse assim que estávamos em seu carro, saindo do estacionamento –, diga aí o que há de errado.

– Nada – respondi, tirando a mão para fora e deixando o ar quente passar por ela conforme descíamos a rua, de volta ao bulevar.

— Vamos lá, Haven — estávamos parados no farol vermelho e ele me encarou. Seus olhos eram tão azuis atrás dos óculos tortos. — Eu sei o que aconteceu no shopping.

Fixei meus olhos no farol, esperando o verde.

— Aquilo não foi grande coisa — comentei, tentando mostrar meu lado ousado, ouvir de novo aquele som que me fez encarar tudo, imune. — Eu me demiti, mesmo.

Ele ainda me olhava.

— Haven, não me enrole. Eu sei quando algo está errado.

Ficamos sentados, quietos, no mais longo farol vermelho do mundo, com ele me encarando, até que eu disse, finalmente:

— Estou simplesmente furiosa com a Ashley, entende? E com a minha mãe e toda essa merda de casamento. — Fiquei recostada no banco, balançando os pés no painel, como vi Ashley fazer todos aqueles anos.

— Não estou a fim de falar disso.

O farol mudou e viramos à direita, em direção ao shopping e à minha casa.

— Bem — ele disse devagar, mudando a marcha —, pega leve com a Ashley. Deve ser estressante se casar. Ela não está descontando em você de propósito.

— Não tem nada a ver com o casamento — contestei, percebendo como era cansativo repetir essas palavras e esse sentimento. — Puxa, a Ashley já existia antes do casamento, sabe, e ela já era minha irmã muito antes de se tornar a noiva, e nós tínhamos problemas há muito tempo que não tinham nada a ver com este casamento idiota.

— Eu sei que ela existia antes disso — respondeu ele, com calma. — Eu a conheci também, você se lembra?

— Sim, mas quando a conheceu, ela era diferente — reclamei. — Puxa, Sumner, você fez com que ela fosse diferente, você a modificou.

— Não sei nada disso — respondeu. — Estávamos no ensino médio, Haven, foi há muito tempo.

— Você a deixava feliz — contei. — Na época ela era legal comigo e ela ria, puxa, o tempo todo. Todos nós ríamos.

— Foi há muito tempo — repetiu ele. Não era isso que eu queria dele; esperava compreensão, raiva compartilhada, alguma coisa. Compreensão e incentivo. Queria que ele compartilhasse minha raiva contra tudo e contra todos, mas ele só dirigia e não dizia nada agora.

Estávamos mais próximos de meu bairro, então eu disse:

— Se acha que vai me deixar em casa, pode me largar aqui. Não vou para casa.

— Haven, deixa disso — ele se virou para mim de novo. Por cima do ombro dele, de repente, vi nuvens de chuva que pareciam ter surgido do nada. Eram longas e achatadas, cheias de cinza e preto, ainda não tinham atingido o sol ardente acima de nós.

— Sua mãe deve estar preocupada com você, e está ficando tarde. Deixe que eu levo você para casa.

— Não quero ir para casa — repeti mais alto. — E só são cinco e quinze, Sumner. Se você acha que vai me levar para casa como se eu tivesse oito anos, pode me largar aqui mesmo.

Ele encostou o carro bem ao lado do shopping.

— Está certo, Haven. Não vou levar você para casa. Mas também não vou largar você no meio da rua. Então você decide o que fazemos agora.

Ficamos sentados lá com os carros passando e o sol batendo na gente enquanto ele me olhava, e eu observava o meu reflexo no espelho lateral. Meu rosto parecia sujo e quente.

— Você não entende... — eu me perguntei se ia começar a chorar.

Ele desligou o carro e se endireitou no assento, brincando com as chaves na ignição.

— Não entendo o quê? — Ele parecia cansado e aborrecido. Isto não estava indo da forma que eu pensava que aconteceria. Eu queria voltar à pista de dança, com o braço dele me enlaçando, cercada de todos aqueles rostos idosos, enrugados e sorridentes, segura e perfeita.

— Nada disso — expliquei. — Você não entende o que aconteceu desde que foi embora.

— Desde que eu fui embora?

— Desde que a Ashley o mandou embora — esclareci, ainda focando a minha imagem no espelho, minha própria boca falando. — Naquele Halloween, muita coisa mudou.

— Haven — disse ele, inspirando, como se fosse falar algo que um pai diria, algo sensato que lhe poda num piscar de olhos.

— Papai fugiu com a Mulherzinha do Tempo, Sumner — contei e, de repente, as palavras fluíram loucas, rápidas e embaralhadas — Ashley não gostava de mim, e mamãe ficou tão triste, com o coração partido. Então Lydia se mudou com o sedã de luxo, e Ahsley conheceu o Lewis no Yogurt Paradise, e ninguém mais foi como era antes, nem mesmo eu. Quando você se foi, quando ela mandou você embora, foi aí que tudo começou. Quando você estava lá, lembra, tudo estava tão bem. Nós éramos todos felizes, e aí a Ashley foi uma puta e mandou você embora, e tudo desmoronou. Foi isso. Puxa — falei, percebendo minha voz tão alta e entrecortada —, foi exatamente *assim*.

O tempo inteiro ele ficou olhando à frente, o primeiro amor da Ashley com uma camisa vermelha amarrotada e óculos de Buddy Holly. Ele balançou a cabeça, suavemente, e falou para a rua à frente:

— Há muita coisa que você não entende, Haven. A Ashley...

— Eu não quero ouvir da Ashley — rebati, cansada de seu nome, de seu rosto e da forma como ela tomou conta de tudo, mesmo neste momento, controlando tudo. — Eu odeio a Ashley.

— Não diga isso — retrucou ele. — Você não sabe. — Agora ele parecia como todo mundo, julgando, supondo. Não me ouvindo neste momento que, de repente, era tão importante.

— Eu sei o bastante — respondi, porque isso me parecia categórico. Queria que ele concordasse comigo. Que acreditasse em mim. Mas ele ficou sentado, abanando a cabeça, os dedos nas chaves, como se as palavras que eu disse o desapontassem.

As nuvens de tempestade se moviam rapidamente, amontoando-se escuras e se espalhando pelo céu. O vento aumentou, uma brisa quente soprou em nós e eu senti o cheiro de sujeira, de rua e de meu suor.

— Foi culpa dela — falei baixinho, visualizando-o novamente no gramado da frente naquele Halloween, olhando para a janela dela. — Foi culpa dela você ir embora. Ela dispensou você.

— Haven, eu não dou conta disso — falou ele, batendo as mãos na direção, zangado de repente. — Não sei o que dizer...

— Você não tem que dizer nada — respondi, surpresa ao ouvi-lo aumentar o tom de voz, perder a paciência comigo. Não era assim que eu me recordava dele.

— Olha, Haven, o que aconteceu entre a Ashley e eu... bom, não é bem como você se recorda. Tinha muita coisa envolvida.

Sempre há, foi o que eu queria lhe dizer. Tinha as mesmas coisas que minha mãe me disse depois que meu pai se foi, tentando me convencer que não era culpa da Mulherzinha do Tempo.

— Eu vou levar você para casa — concluiu ele. — As nuvens de tempestade estavam agrupadas no alto, acima de nós, pretas e agourentas, com um céu azul espreitando por trás. Ainda estava úmido e quente, mas a brisa estava mudando, agora mais fria e pesada, levando pedaços de grama rodopiando pelas laterais da rua.

— Não vou para casa — afirmei novamente, enquanto as nuvens encobriam o sol, surpresa com a rapidez com que o tempo pode mudar, uma rajada de vento soprando em minutos.

Ele me ignorou, ligou o carro e engatou a marcha. Nós nos afastamos da calçada e grandes gotas de chuva começaram a cair, espatifando no para-brisa e no meu rosto. Os carros vindo em nossa direção ligavam os faróis, todos ao mesmo tempo. Abri minha porta e saltei para fora, batendo a porta conforme meus pés tocavam o chão.

— Haven! — berrou Sumner, parando o carro de novo. Eu saí da rua e me enveredei por um caminho, o atalho que sempre pegávamos para ir ao shopping comprar doces e Slurpees quando eu era pequena. — Vai chover muito; não seja idiota. Volte para o carro.

— Não — respondi baixinho, sabendo que ele não poderia me ouvir. Agora chovia mesmo. Continuei a andar, ouvindo o Sumner gritar meu nome, mas sabendo que eu não podia voltar para ele, que ele não era o que eu queria que ele fosse. Talvez nunca tivesse sido.

Desci ainda mais pelo atalho e não ouvia mais o tráfego, só a chuva e o trovão. Cortei caminho sobre um riacho passando sobre uma tábua colocada lá e vi o primeiro relâmpago brilhar acima repentinamente e desaparecer. Foi seguido pelo estrondo do trovão que parecia vir logo à minha direita, me impelindo adiante. A trilha estava diferente do que eu me lembrava, fazia uma curva ao redor de árvores e rochas que eu não reconhecia, mas já fazia tanto tempo. Tudo parece diferente quando você é mais velho e não olha para cima para o mundo, mas sim para baixo. Outro estrondo de trovão ribombou sobre mim. Eu tinha certeza de que a trilha saía em algum lugar perto de casa.

Não conseguia ver luzes nem casas, apenas árvores e mais árvores se espalhando à distância. Então, não tinha mais certeza de ainda estar na trilha, o que me deixou em pânico e me fez correr, desviando galhos do rosto enquanto a chuva fustigava minhas costas e pingava nos olhos, escorregadia e fria. O céu agora estava negro acima de mim, e comecei a pensar nos tornados, o mundo rodopiando ao redor e eu com nada no que me segurar além das árvores, o que me impeliu a correr ainda mais rápido, o som alto da respiração em meus ouvidos. Não conseguia mais ver a trilha na chuva e no escuro, e tudo parecia escorregadio conforme corria mais, em direção do que parecia ser uma clareira. Pensei nas casas da minha rua, com suas luzes aconchegantes e uniformes, gramados verdes e todos os pontos de referência, tão familiares que poderia encontrá-los dormindo. Corri para a clareira, certa de que poderia encontrá-los à minha frente, até chegar aos últimos galhos quando os puxei para o lado, revelando mais galhos e folhas pingando com a chuva, e os empurrei com toda a minha força para sair em um espaço aberto, meu coração disparando no peito. Continuei a correr até bater em algo duro, algo que se moveu e deu um salto para trás, com a respiração em meu rosto.

Era Gwendolyn.

Ela estava ensopada, os cabelos grudados na testa, usava uma camiseta branca com um top vermelho aparecendo por baixo e shorts de corrida pretos. Um par de fones de ouvido pendia em seu pescoço, ligado num aparelho preso à cintura. Ofegante, estava com o rosto vermelho respingando de chuva. Era a primeira pessoa que eu encontrava há muito, muito tempo, que era mais alta que eu e fitava meus olhos de cima. O trovão rugiu ao nosso redor, com outro lampejo de luz branca, e Gwendolyn Rogers e eu resfolegamos, paradas na clareira, perto o bastante para eu ver sua pele arrepiada. Ela me fitou com seus olhos grandes e tristes, e eu a encarei de volta, sem piscar, mesmo quando ela ergueu a mão em direção ao meu rosto e passou os dedos na minha bochecha, como se eu não fosse real.

Parece que ficamos paradas lá uma eternidade, Gwendolyn e eu, duas estranhas numa clareira com a chuva chicoteando, reunidas inexplicavelmente em uma tempestade de verão. Queria falar com ela, queria ter palavras para dizer algo para tudo se tornar real. Algo que tínhamos em comum: o bairro, o verão, uma revelação sobre uma crença antes considerada sagrada. Mas ela só me encarava, o rosto ansioso, um sorriso tímido, como se me conhecesse, tivesse me perdido pelo caminho e me reencontrava apenas aqui, agora. Acho que ela também sentiu o mesmo naquele momento. Ela *me* conhecia.

Então ouvi a voz da minha irmã.

— Haven! — Uma porta de carro bateu com força e depois bateu de novo.

— Haven! Você está aí?

— Estou aqui — disse para Gwendolyn, e ela se afastou de mim, deixando cair a mão. Virei para ver a minha irmã, que ainda chamava no meio da chuva e das árvores. — Aqui — repeti.

Ashley passou pelas moitas. Estava com as pernas nuas. De capa de chuva amarela bem afivelada, como a menininha da propaganda do sal Morton. As árvores pendiam por cima, e o vento assobiava com a chuva me açoitando. Virei de novo e vi Gwendolyn correndo pela trilha pela qual eu viera, um borrão branco e preto.

— Haven? — Ashley estava mais perto agora e me virei para o som da sua voz. Sua capa de chuva escorria, brilhante em meio ao verde. Eu podia ver os faróis do carro dela agora, iluminando a clareira. — Você está bem?

— Estou bem — respondi. — Eu me perdi na trilha.

— Estávamos tão preocupadas — disse ela, parando diante de mim e tirando os cabelos dos olhos. — A mamãe estava praticamente maluca, ligando para todos, aí apareceu o Sumner Lee e disse que você fugiu para o bosque aqui.

— Ele falou com você? — perguntei.

— Ele também estava preocupado — contou minha irmã, tão miúda e molhada, bem diante de mim. — Todos estávamos. Puxa, Haven — ela lamentou baixinho —, o que aconteceu com você hoje?

— Não sei — respondi. Estava molhada e cansada, só conseguia pensar em me deitar na cama quentinha e esquecer este dia para sempre. Mas eu tinha uma coisa a mais para falar e lhe perguntar antes de poder fazer isso. — Ashley...

— Sim? — ela tinha se virado para sair da clareira, e eu encarava a capa de chuva de novo.

— Por que você deu o fora no Sumner?

Ela parou e se virou para me olhar.

— Como?

— Sumner. Por que você desmanchou com ele no Halloween?

— Eu dei o fora nele? Foi o que ele contou?

— Não — respondi —, mas vi você. Naquele Halloween quando ele estava de cientista maluco, lembra? Vi você pela janela.

— Haven — disse ela devagar, sacudindo a cabeça. — Eu não dei o fora no Sumner. Digo, eu dei sim, mas foi só porque ele me traiu. Com aquela garota, a Laurel Adams, lembra dela? Eu peguei os dois naquela noite, na festa. Foi por isso que eu acabei com ele.

Ela me observou enquanto me contava, com a voz calma e triste.

— Todo este tempo você não sabia, não é? Nossa, Haven. Ele partiu o meu coração.

Fiquei parada lá, encarando a minha irmã, relembrando aquele Halloween, Sumner no banco dianteiro com Ashley ao lado dele e Laurel Adams atrás, com os cabelos brilhando como prata sob a luz dos postes.

— Não é verdade — retruquei, pensando no Sumner me segurando na pista de dança mais cedo, naquela tarde. — Não é não.

— É verdade. Eu amava o Sumner, e ele me magoou muito.

Ela se esticou para tirar o cabelo do meu rosto, um gesto desajeitado, uma tentativa de carinho.

— Não é sempre tão simples assim, Haven. Às vezes não existe um cara bom e um cara mau. Às vezes até aqueles nos quais você quer acreditar acabam sendo mentirosos.

— Mas ele ficou tão triste e continuou aparecendo — expliquei, ainda não querendo acreditar que fosse possível. — Ele implorou para voltar.

— Isso não muda o que ele fez. — Ela sacudiu a cabeça, sorrindo tristemente para mim. — Haven, sei que não gosta do Lewis, mas você tem que entender como é importante para mim poder confiar em quem eu amo. Após o Sumner e o papai, eu estava começando a perder a fé em tudo. O Lewis pode não ser o Sumner, mas ele jamais me magoaria. Nunca. Às vezes, as coisas não acabam da forma que queremos, Haven. Às vezes, as pessoas que escolhemos para confiar não são as corretas.

– Ele a amava. E acho que ainda ama.

– Ele não me ama – disse ela, cruzando os braços no peito. – Ele pode ainda amar o que eu era aos quinze anos quando não sabia de nada. Quando confiava em todos. Não sou mais essa pessoa. – Ela começou a andar, segurando os galhos para o lado para que eu passasse. – Ele é apenas um garoto, Haven. Ele foi o primeiro a me magoar de verdade, mas é apenas um garoto. Houve muitos deles.

– Não como ele – disse suavemente, embora soubesse que depois de hoje jamais o encararia, ou veria o verão daquele ano da mesma forma.

– Talvez não – respondeu ela, ao chegarmos ao carro. – Mas talvez isso não seja tão ruim. Você não pode amar alguém daquela forma mais que uma vez na vida. É muito duro e machuca demais quando termina. O primeiro garoto é sempre o mais difícil de superarmos, Haven. É assim que o mundo funciona.

Ela segurou a porta aberta para que eu entrasse, molhada, grudenta e cansada depois de um dia que agora era um borrão em minha mente, estendendo-se infinitamente. Eu a observei dar a volta na frente do carro, sentar-se no assento do motorista e fechar a porta. Nós não nos falamos, minha irmã e eu, no dia anterior ao casamento. Ela guiou na chuva, desceu ruas conhecidas, as casas brilhantes e iluminadas, e pensei em Sumner e naquele primeiro verão quando tudo era diferente. Ele afetou a nós duas separadamente, mas de forma semelhante. Ele foi o primeiro a partir o coração dela, o primeiro cara a me desapontar, a me tirar algo que me era tão querido. Um mito. Talvez Ashley estivesse certa, desta vez.

Pensei em contar isto no silêncio do carro, só com a chuva a tamborilar acima. Olhei para ela e resolvi não fazer isso. Não é preciso contar algumas coisas. Algumas coisas, entre irmãs, são entendidas.

Capítulo Treze

— Está na hora.

Mamãe estava parada na soleira da nossa porta, com um vestido novo cor-de-rosa, com um arranjo de zínias rosas e de flox azuis presas no ombro direito. A casa inteira rescendia a flores nessa manhã, dos buquês alinhados sobre a mesa da cozinha, todos montados por ela.

Eu me virei do espelho, e ela suspirou, apertando as mãos à frente.

— Você está linda! — sussurrou, tendo soluçado tantas vezes de manhã que lenços de papel espreitavam de seus bolsos, em prontidão. — O vestido está perfeito. Ficou certinho.

Lydia Catrell espreitou pela porta e imediatamente caiu no choro.

— Você está maravilhosa! – avaliou, fungando, mamãe lhe estendeu um lenço úmido, que ela negou. – Ela não está uma coisa linda?

— Com certeza – disse mamãe baixinho, adiantando-se para me abraçar, as flores pressionadas contra meu peito. Ela pegou minha mão e descemos, com Lydia tagarelando à nossa frente.

— Sei que vou chorar muito – disse ela alto, depois que o aguaceiro parou. – Eu sempre choro em casamentos, e vocês?

— Eu choro – concordou mamãe, apertando a minha mão. – Mas Haven será forte. Sorte dela não ter herdado a veia emocional da mãe.

— Ah, nada como um casamento para um bom choro – concluiu Lydia, batendo os saltos dos enormes sapatos Chanel brancos escada abaixo. Todos precisam chorar bastante de vez em quando.

Mamãe ainda segurava a minha mão quando atravessamos o saguão e saímos para o carro. Quando cheguei em casa com Ashley, mamãe apenas me abraçou tão forte que doeu, antes de me deixar subir para tomar banho e tirar uma longa soneca, pulando por completo o jantar de ensaio. Quando acordei, encontrei-a com Ashley à mesa da cozinha, bebendo vinho e rindo, suas vozes flutuando como música. Sentei junto, de camisola, tomei ginger ale, conversamos sobre os velhos tempos quando a Ashley tinha dez anos e quase incendiou a casa com o seu forno Easy-Bake, e quando eu, aos seis, resolvi fugir, enchendo a minha mala vermelha de verniz com toalhinhas de rosto e calcinhas. Mamãe ria, o rosto corado como sempre que ela bebia, contando histórias que, por tanto tempo, ficaram no terreno desconhecido do divórcio, desconfortáveis pelo que elas não mais representavam. Agora rimos do cabelo do papai e dos namorados da Ashley, da linha do tempo dos caras, cada um com a sua peculiaridade que lembrávamos melhor que seus nomes. E rimos enquanto chovia e o cheiro adocicado soprava pela porta dos fundos, como as flores que desabrocharam logo ali fora. A cozinha estava quentinha e clara, e eu sabia que me lembraria desta noite da mesma forma enevoada que eu me lembrava de todas as coisas boas, como um momento em que tudo estava tão perfeito quanto possível. Outro verão a ser lembrado, aquela semana em Virginia Beach agora enfiada junto com outras lembranças mais antigas. Mais tarde, quando Ashley se for, e mamãe e eu tentarmos preencher esta casa sozinhas, eu relembraria essa noite, cada detalhe, do anel de Ashley faiscando enquanto ela bebericava o vinho, até os pés descalços de mamãe salpicados de lâminas de grama. Seria um bom local para recomeçar.

Segurei a mão da mamãe a caminho do carro, sabendo que as coisas seriam diferentes agora. Mamãe e eu teríamos que começar nossas próprias lembranças, talvez em um lugar novo. Ela iria para a Europa, pois eu a obrigara, eu arrumaria outro emprego fora do shopping e recomeçaria tudo no outono e no primeiro ano do ensino médio. Minha irmã estaria com Lewis, e eu sabia que ela era feliz, lá em seu apartamento novo, sem mim do outro lado da parede. Eu teria que deixá-la partir. Começaria a minha própria linha do tempo agora, com os rostos de meus próprios garotos, marcando os dias e meses e anos.

Eu queria encontrar Ashley, para lhe contar todas essas coisas, mas a igreja estava cheia, uma loucura, com todos correndo ao redor, e Ashley sempre atrás de uma porta fechada ou sendo conduzida por alguém, num borrão branco. Fiquei alinhada com as outras damas de honra, Carol Cliffordson longe da vista, a simetria que se danasse. Segurei o meu buquê e pensei que tudo estava bem, realmente, que era apenas uma dor de barriga passageira. Já fui dama de honra antes, sabia o que fazer. E quando a música começou, dei um passo à frente e segui a garota diante de mim até o fim da nave central, passei pela Casey e seus pais, Lorna Queen e finalmente mamãe e Lydia, o tempo todo esperando para ter a oportunidade de dizer algo para Ashley. Algo sobre o dia anterior e o quanto eu sentia muito. Sobre como sentiria falta dela e sobre como agora eu entendia sobre Sumner e como ele nos reunira e nos proporcionara algo em comum de novo. Na noite anterior, ficamos tão enlevadas com o passado, que não consegui pensar adiante, neste dia e no que viria depois, em nenhuma de nós. Fui para a cama e a ouvi no quarto ao lado exatamente como em qualquer outra noite de minha vida, não percebendo que na manhã seguinte seria tarde demais.

O organista começou a tocar a Marcha Nupcial e todos nos viramos para a parte de trás da igreja, ansiosos. Lá estava ela. Papai sorria, seu braço enlaçado no dela, e eles deram o primeiro passo juntos. Todos suspiraram, pois ela estava bonita, branca, perfeita com o andar suave, e eu a observei se aproximando de mim, um sorrisinho no rosto. Vi Lewis corar e mamãe enxugar os olhos com pancadinhas e pensei em tudo o que passamos, minha irmã e eu, as brigas, os bons momentos e todos os dias que tivemos que nos conduziram a este e, de repente, eu chorei. Sabia que o rímel borrava e que eu era a única lá na frente quase aos prantos, mas ainda assim as lágrimas rolavam pelas bochechas; ela se aproximou e seus olhos encontraram os meus, por debaixo do véu. Eu queria dizer tudo então, mas antes que pudesse fazê-lo, ela saiu do lado de papai e me abraçou com força, seu buquê em meu pescoço. Senti o cheiro das flores do jardim de mamãe ao abraçá-la e soube que não precisava dizer nada. Minha irmã era mais sábia que eu supunha. Ela me abraçou e sussurrou que me amava, depois se afastou, enxugando os próprios olhos.

Então eu soube. Para mim e para a Ashley não sobrou mais tempo para relembrar aquele verão, a praia e o carinha que nos encantou e nos desapontou. Havia apenas o que se desenrolava à frente, anos repletos de novos verões e promessas, com todo o tempo do mundo para recomeçar. Minha irmã, que nunca entendeu a maioria das coisas que eu queria que ela entendesse, pode ter conseguido compreender o que aconteceu comigo neste verão de casamentos e começos. E ela estava certa. O primeiro garoto era sempre o mais difícil.